5ᵉ

Grammaire
Orthographe
Conjugaison
Vocabulaire
Expression

GRAMMAIRE

Cahier d'exercices

Annie Lomné

Certifiée de lettres classiques
Professeur au collège Danton de Levallois-Perret (92)

Collège ....
Nom ....
Prénom ....
Classe ....

Hatier

SOMMAIRE

LES EMPLOIS DES TEMPS ET DES MODES

LE VOCABULAIRE

LES OUTILS

© Hatier, Paris, avril 2012 – ISBN : 978-2-218-95483-2

1 Les noms et les déterminants

Je me souviens

Aux confins de la France et de la Petite-Bretagne, vivaient jadis deux rois qui étaient frères, et qui avaient épousé deux sœurs : le roi Ban régnait sur Bénoïc, et le roi Bohort sur Gaunes.

Lancelot du Lac (XIIIᵉ s.), adapt. d'A.-M. Cadot-Colin, © Le Livre de poche jeunesse, 2008.

Observe le texte et réponds aux questions.

Relève les noms communs. → ....

Relève les noms propres. → ....

Relève les déterminants articles. → ....

Je retiens

A LES NOMS

➤ Il y a deux catégories de noms : les **noms communs** et les **noms propres**.

➤ Les noms propres, contrairement aux noms communs, commencent par une **majuscule**, ils désignent une personne, un lieu… : *la France • Ban • Bénoïc*.

➤ Les noms communs et les noms propres désignant un pays, un monument ou une personne sont, en général, précédés d'un **déterminant qui s'accorde en genre et en nombre avec eux** : *la France • le roi*.

B LES DÉTERMINANTS

LES DÉTERMINANTS ARTICLES	DÉFINIS	*le • la • les • l'*
	DÉFINIS CONTRACTÉS	*au(x)* [= *à + le* ou *les*] • *du* [= *de + le*]• *des* [= *de + les*]
	INDÉFINIS	*un • une • des*
	PARTITIFS	*du • de la • de l'*
LES DÉTERMINANTS POSSESSIFS	AU SINGULIER	*mon • ton • son • ma • ta • sa • notre • votre • leur*
	AU PLURIEL	*mes • tes • ses • nos • vos • leurs*
LES DÉTERMINANTS DÉMONSTRATIFS	SIMPLES	*ce • cet • cette • ces*
	COMPOSÉS	*ce …-ci • ce …-là • cette …-ci…*
LES DÉTERMINANTS NUMÉRAUX	CARDINAUX	*un • deux • trois…*
	ORDINAUX	*premier • deuxième…*
LES DÉTERMINANTS INTERROGATIFS OU EXCLAMATIFS		*quel(s) • quelle(s)*

REMARQUE On appelle **groupe nominal minimal** un nom précédé de son déterminant.

Je m'entraîne

★ 1 Indique la nature exacte des déterminants dans les GN suivants.

1. une terre → ....

2. mon château → ....

3. ce chevalier → ....

4. l'intelligence → ....

5. deux sœurs → ....

6. quel courage → ....

7. de l'eau → ....

8. au collège → ....

2 Mets ces GN au singulier.

1. ces amis → .... | 2. mes habits → ....

3. des souris → .... | 4. vos cheveux → ....

3 Relie chaque déterminant souligné à sa nature.

De la soupe ▪

La rentrée des classes ▪   ▪ **ARTICLE INDÉFINI**

Des pommes ▪   ▪ **ARTICLE DÉFINI CONTRACTÉ**

La fin du film ▪

Du courage ▪   ▪ **ARTICLE PARTITIF**

4 a) Mets ces phrases à la forme négative.

1. J'ai des doutes à ce sujet. → ....

2. Nous avons apporté des gâteaux. → ....

3. J'ai bu de l'eau. → ....

4. Achète du pain en rentrant. → ....

b) Quels déterminants as-tu modifiés ? → ....

5 Place un des adjectifs proposés entre le déterminant et le nom des GN suivants.
⚠ N'oublie pas de les accorder. bon • agréable • grand • petit

1. des enfants → .... | 2. du café → ....

3. des vacances → .... | 4. des erreurs → ....

6 Précise les déterminants démonstratifs par –*ci* ou –*là*.
⚠ Souviens-toi : –*ci* s'utilise pour ce qui est proche et –*là* pour ce qui est éloigné.

1. Ces jours......., il a fait très chaud. | 2. Dans ces régions......., l'hiver dure très longtemps.

3. Prends plutôt ce livre....... | 4. À cette époque......., ma grand-mère était jeune.

7 Souligne tous les noms précédés d'un déterminant puis indique la classe grammaticale de chaque déterminant en le plaçant dans le tableau.

Sur le conseil de son sénéchal, le roi Ban décida d'aller lui-même demander du secours au roi Arthur. Mais craignant qu'il n'arrive malheur au château en son absence, il voulut que son épouse l'accompagne avec leur fils.

Lancelot du Lac (xiiie s.), adapt. d'A.-M. Cadot-Colin, © Le Livre de poche jeunesse, 2008.

NATURE DES DÉTERMINANTS	DÉTERMINANTS ET NOMS

8 Expression écrite

Tu as, comme le roi Ban, été surpris par un spectacle auquel tu ne t'attendais pas (incendie, hautes vagues, tempête…). Raconte la scène et explique ce que tu as ressenti.

Les pronoms personnels, possessifs et démonstratifs

Je me souviens

[*Le roi Ban vient de mourir.*] Le palefroi, effrayé par la chute de son maître, s'était enfui. Il redescendit la colline pour rejoindre les autres chevaux. Quand la reine <u>le</u> vit, elle dit à l'écuyer de <u>le</u> rattraper.

Lancelot du Lac (XIIIe s.), adapt. d'A.-M. Cadot-Colin, © Le Livre de poche jeunesse, 2008.

Observe le texte et réponds aux questions.

Indique la classe grammaticale des *le* soulignés. → ....

Quel nom représentent-ils ? → ....

Quelle est la classe grammaticale des *le* / *l'* en vert ? → ....

Je retiens

A LES PRONOMS PERSONNELS

Ils remplacent un mot (nom ou adjectif) ou un groupe de mots déjà exprimés.

	PRONOMS SUJETS	PRONOMS COMPLÉMENTS
SINGULIER	*je • tu • il • elle • on*	*me / m' • moi • te / t' • toi • le / l' • la / l' • lui • elle • se / s' • soi • en • y*
PLURIEL	*nous • vous • ils • elles*	*nous • vous • leur • les • elles • eux • se / s' • en • y*

⚠ *Le, la, les, l'* peuvent être des articles ou des pronoms personnels.
    le roi : article (devant un nom) • *je le vois* : pronom (devant un verbe)

⚠ *Leur* peut être un déterminant possessif ou un pronom personnel.
    Le professeur leur (pronom devant un verbe) *distribue leur* (déterminant devant un nom) *devoir.*

B LES PRONOMS POSSESSIFS

Ils remplacent un nom et indiquent un lien avec un autre nom, ils comportent deux mots.

1re PERSONNE	*le mien*	*la mienne*	*les miens*	*les miennes*	*le / la nôtre*	*les nôtres*
2e PERSONNE	*le tien*	*la tienne*	*les tiens*	*les tiennes*	*le / la vôtre*	*les vôtres*
3e PERSONNE	*le sien*	*la sienne*	*les siens*	*les siennes*	*le / la leur*	*les leurs*

⚠ L'accent circonflexe sur *nôtre* et *vôtre* permet de ne pas confondre le pronom et le déterminant.

C LES PRONOMS DÉMONSTRATIFS

Ils servent à montrer ou à rappeler quelqu'un ou quelque chose dont on a déjà parlé.

SIMPLES	*celui*	*celle*	*ceux*	*celles*	*ce / c'*	*ceci*	*cela / ça*
COMPOSÉS	*celui-ci*	*celui-là*	*celle-ci*	*celle-là*	*ceux-ci*	*ceux-là*	*celles-ci / celles-là*

⚠ Les pronoms *ce, ceci, cela* reprennent des faits ou des idées.

* 1 Classe les pronoms soulignés dans la bonne colonne.

1. Les élèves se rassemblent devant la classe : ils attendent le professeur.

2. Dis-moi ce que tu as compris : cela m'intéresse.

3. Prête-lui ton stylo : il a oublié le sien.

PRONOMS PERSONNELS	PRONOMS POSSESSIFS	PRONOMS DÉMONSTRATIFS
....	....	....

** 2 Souligne *le*, *la*, *les*, *l'* déterminants articles. Surligne-les s'ils sont pronoms personnels.

1. J'aime les romans de chevalerie, ma sœur aussi les apprécie.

2. Connais-tu l'histoire du chevalier au lion ? Non, je ne la connais pas.

3. Je vais te la raconter, je l'ai lue récemment.

4. Le chevalier qui avait donné son amour à une dame ne le reprenait jamais.

** 3 Remplace les pointillés par *ce* / *c'* • *se* / *s'* • *ceux*.

1. Il faut .... retrouver vers huit heures.   2. .... qui partiront en retard .... perdront.

3. N'oublie pas .... que je t'ai dit.   4. Il .... est beaucoup intéressé à .... film.

** 4 Indique la classe grammaticale de chaque *leur(s)*.

1. Leurs bagages sont lourds, ouvre-leur la porte.   → ....

2. Je leur ai prêté un parapluie : ils avaient oublié le leur. → ....

3. N'oublie pas de leur donner leurs cadeaux.   → ....

4. Nos vacances sont finies, les leurs commencent.   → ....

** 5 Indique si *le* / *l'* remplace un nom, un adjectif ou le contenu d'une phrase, puis souligne ceux-ci dans chaque phrase.

1. Cet homme est mon voisin, je le rencontre souvent.   → ....

2. Ces évènements sont-ils réels ? Oui, ils le sont.   → ....

3. Il a gagné le premier prix. Je ne le savais pas.   → ....

*** 6 Classe les mots soulignés dans la bonne colonne et précise leur classe exacte. Pour différencier les homophones relève le mot qui suit. *Exemple : le (sol).*

La reine Hélène avait posé son fils sur le sol, en apprenant la mort du roi. Quand elle voulut le reprendre, elle le vit dans les bras d'une dame qui le serrait contre sa poitrine. Cela se passait près d'un lac, peu après la dame y plongea avec le bébé.

D'après *Lancelot du Lac* (XIIIᵉ s.), adapt. d'A.-M. Cadot-Colin, © Le Livre de poche jeunesse, 2008.

DÉTERMINANTS	PRONOMS
→	→ ....
→	→ ....
→	→ ....

*** 7 Expression écrite

On vient de t'expliquer l'origine du surnom de Lancelot. À ton tour, imagine une histoire qui expliquera l'origine du surnom d'un personnage ou d'un animal.

3 L'adjectif qualificatif et ses degrés

Je me souviens

Je vis alors venir vers moi une belle jeune fille de noble allure. C'était la fille du seigneur. Elle était ravissante à contempler. Elle m'emmena m'asseoir dans un très joli petit jardin.

Chrétien de Troyes, *Yvain, le Chevalier au Lion* (XIIe s.), adapt. d'A.-M. Cadot-Colin,
© Le Livre de poche jeunesse, 2008.

Observe le texte et réponds aux questions.

Quelle est la classe grammaticale des mots soulignés ? → ....

À quoi sert le mot en vert ? → ....

Je retiens

A GÉNÉRALITÉS

Rappel
6^e

- L'adjectif qualificatif apporte des précisions sur un nom ou un pronom.
- Il renseigne sur l'apparence, la couleur, les qualités…
- Il s'accorde en genre et en nombre avec le nom ou le pronom auquel il se rapporte.

B LE COMPARATIF

- Il existe trois degrés de comparaison :
  - ◆ le comparatif d'infériorité : *moins… que* ;
  - ◆ le comparatif d'égalité : *aussi… que* ;
  - ◆ le comparatif de supériorité : *plus… que*.
- Le mot ou le groupe de mots introduit par *que* est le complément du comparatif.

  Je suis plus grande **que** *mon frère* : **mon frère** est complément du comparatif **plus grande**.

  - ◆ L'adjectif *bon* a un comparatif de supériorité irrégulier : **meilleur**.
  - ◆ Les adjectifs *petit* et *mauvais* ont deux comparatifs de supériorité : **plus petit** et **moindre**, **plus mauvais** et **pire**.

C LE SUPERLATIF RELATIF

- Il existe :
  - ◆ le superlatif relatif d'infériorité : **le moins… de** ;
  - ◆ le superlatif relatif de supériorité : **le plus… de**.
- Le mot ou le groupe de mots introduit par *de* est complément du superlatif.

  Elle est la plus grande **de** *sa classe* : **sa classe** est complément du superlatif **la plus grande**.

- L'adjectif *bon* a pour superlatif relatif de supériorité **le meilleur** ; pour les adjectifs *petit* et *mauvais*, on a le choix entre : **le plus petit**, **le plus mauvais** ou **le moindre**, **le pire**.

D LE SUPERLATIF ABSOLU

- Il s'exprime à l'aide des adverbes **très**, **fort**, **extrêmement**… placés devant l'adjectif.
- Pour l'adjectif *bon*, le superlatif absolu est **très bon** ou **excellent**.
- On peut aussi exprimer d'autres degrés absolus d'intensité :
  - ◆ l'intensité faible : *peu, légèrement, à peine*…
  - ◆ l'intensité moyenne : *assez, plutôt, moyennement*…

Je m'entraîne

1 a) Souligne les adjectifs, puis indique les noms auxquels ils se rapportent.

1. Les romans de chevalerie sont divertissants. → ....

2. Yvain est un chevalier de la Table ronde. → ....

3. Calogrenant est un chevalier très aimable, mais le sénéchal Keu tient souvent des propos venimeux. → ....

2 Souligne les adjectifs au comparatif, puis identifie-les.

	INFÉRIORITÉ	ÉGALITÉ	SUPÉRIORITÉ
1. Ce livre de contes est moins intéressant qu'un roman.	☐	☐	☐
2. Tous les chevaliers sont aussi courageux.	☐	☐	☐
3. Un éléphant est plus lourd qu'un lion.	☐	☐	☐

3 Indique si les adjectifs soulignés sont au superlatif relatif ou absolu.

	RELATIF	ABSOLU
1. Ce plat est excellent.	☐	☐
2. Ce film est le plus original de la saison.	☐	☐
3. Ce vêtement est très chaud.	☐	☐

4 Transforme ces phrases de façon à introduire un comparatif et son complément.
*Exemple : Cette maison est petite. → La maison de nos voisins est **plus petite que** la nôtre.*

1. Cet enfant est sage. → ....

2. Ce devoir est difficile. → ....

3. Ce vêtement est confortable. → ....

4. Cette route est dangereuse. → ....

5 Reprends les phrases de l'exercice 4 et introduis un superlatif relatif et son complément.

1. ....

2. ....

3. ....

6 Dans cette suite du récit de Calogrenant, encadre les adjectifs. Souligne en bleu les comparatifs, en jaune les superlatifs, puis surligne les mots auxquels ils se rapportent.

Après une excellente nuit, je pris congé. Dans une clairière, je trouvai des taureaux sauvages qui se battaient avec une violence terrible : aucun animal n'est plus dangereux et féroce qu'un taureau ! Un peu plus loin je rencontrai un paysan d'une laideur et d'une taille stupéfiantes. Il mesurait dix-sept pieds de haut et avait une tête énorme, plus grosse que celle d'un cheval.

Chrétien de Troyes, *Yvain, le Chevalier au Lion* (XIIe s.), adapt. d'A.-M. Cadot-Colin,
© Le Livre de poche jeunesse, 2008.

7 Expression écrite

À ton tour décris un animal ou un personnage extraordinaire, en utilisant des comparatifs et des superlatifs que tu souligneras.

4

Les adjectifs qualificatifs et les adjectifs de couleur

Je me souviens

> Ils dégagèrent d'abord le dragon blanc, qui leur parut si farouche et si hideux qu'ils reculèrent, remplis d'effroi.
>
> *Merlin* (XIIIᵉ s.), adapt. d'A.-M. Cadot-Colin, © Le Livre de poche jeunesse, 2009.

Observe le texte et réponds aux questions.

Relève les trois adjectifs se rapportant au dragon. ....

Mets ces adjectifs au féminin pluriel. ....

Je retiens

A CAS GÉNÉRAL

(Rappel 6ᵉ)

- Les adjectifs qualificatifs s'accordent en genre et en nombre avec le nom auquel ils se rapportent.

⚠ Certains adjectifs doublent la consonne finale au féminin ou changent de terminaison :
cruel → crue**lle** • ancien → ancie**nne** • doux → dou**ce** •
heureux → heureu**se** • public → publi**que** • beau → be**lle** • mou → **molle**

- Les adjectifs en **-eu**, **-au**, **-eau** ont un pluriel en **-x**, ceux en **-al** ont un pluriel en **-aux** :
beau → beau**x** • féodal → féod**aux**

Exceptions : *bancal, fatal, banal, natal, naval, glacial.*

- Certains adjectifs ont deux formes de masculin singulier :
beau / bel (devant une voyelle ou un *h* muet) • vieux / vieil • fou / fol…
→ un **beau** monsieur / un **vieil** homme.

B LES ADJECTIFS DE COULEUR

- Ils s'accordent comme les autres adjectifs : *des chemises rouges, bleues*…

⚠ Certains adjectifs changent légèrement de radical au féminin :
blanc → blanche • violet → violette…

- Les adjectifs de couleur composés restent invariables :
des chemises bleu clair, jaune paille…

- Les noms utilisés comme adjectifs restent invariables : *des chemises marron, orange*…

REMARQUE *Écarlate, mauve, pourpre, rose, fauve* sont devenus des adjectifs et s'accordent :
des écharpes mauves, roses…

Je m'entraîne

1 **Mets ces adjectifs au féminin.**

1. grand → *grande*
2. réel → *réelle*
3. nouveau → *nouvelle*
4. fou → *folle*
5. doux → *douce*
6. vif → *vives*
7. sérieux → *sérieuse*
8. grec → *grecque*
9. orange → *orange*

② Mets ces adjectifs au pluriel.

1. gentil → *gentils*   2. normal → *normaux*   3. beau → *beaux*
4. fatal → *fataux*   5. heureux → *heureux*   6. mou → *mous*
7. glacial → *glaciaux*   8. national → *nationaux*   9. jaune → *jaunes*

③ Indique le pluriel et le féminin de ces adjectifs simples de couleur.

MASCULIN SINGULIER	MASCULIN PLURIEL	FÉMININ SINGULIER	FÉMININ PLURIEL
rouge	*rouges*	*rouge*	*rouges*
bleu	*bleus*	*bleue*	*bleues*
violet	*violets*	*violette*	*violettes*
blanc	*blancs*	*blanche*	*blanches*

④ Mets les GN au pluriel et fais les accords nécessaires.

1. un foulard bleu ciel   → *D...*
2. une chaussure marron →
3. un sac rouge vif   →
4. un bracelet turquoise →

⑤ Transforme les adjectifs de couleur en adjectifs composés à l'aide des propositions suivantes. foncé • pâle • citron • marine • olive • vif

1. Cette chemise verte te va bien. → *Cette chemise vert olive te va bien*
2. Les uniformes de ce collège sont bleus. → *Les uniformes de ce collège sont bleu marine*
3. J'ai acheté une robe rouge. → *J'ai acheté une robe foncé.*
4. Les murs de ma chambre sont jaunes. → *Les murs de ma chambre sont jaune citron*
5. J'écris sur des feuilles roses. → *J'écris sur des feuilles rose pâle*
6. Cette pierre bleue est très précieuse. → *Cette pierre bleu vif est très précieuse*

⑥ Accorde les adjectifs entre parenthèses.

Lorsque Merlin était allé en (Petit) *Petite* -Bretagne, il avait fait une rencontre (étonnant) *étonnante* : une toute (jeune) *jeune* fille d'une (grand) *grande* beauté se tenait auprès d'une source (clair) *claire*. Cette (jeune) *jeune* fille se nommait Viviane, une fée avait dit à son père : « cette enfant sera aimée de l'homme le plus (puissant) *puissant* de la Terre, venu de la (vert) *verte* Bretagne, il lui enseignera son art et ses pouvoirs (magique) *magiques* ».
Merlin prit l'apparence d'un (beau) *beau* homme, Viviane se tenait près d'une fontaine dont l'eau (clair et bleu) *bleu clair* courait sur des cailloux aussi (brillant) *brillants* que de l'argent.
– Qui êtes-vous demoiselle ?
– Je suis (natif) *native* de cette contrée et je m'appelle Viviane.

D'après *Merlin* (XIIIe s.), adapt. d'A.-M. Cadot-Colin, © Le Livre de poche jeunesse, 2009.

⑦ Expression écrite

Décris un spectacle riche en couleurs auquel tu as assisté (spectacle de danse, feu d'artifice, défilé…). N'oublie pas d'accorder les adjectifs !

5 Les mots invariables

Je me souviens

Au temps du roi Arthur, le chevalier qui avait donné son cœur à une dame ne le reprenait jamais, et cet amour courtois durait toute sa vie.

Chrétien de Troyes, *Yvain, le Chevalier au Lion* (XIIe s.), adapt. d'A.-M. Cadot-Colin,
© Le Livre de poche jeunesse, 2008.

Trouve le(s) mot(s) en vert qui correspond(ent) à chaque définition.

→ .... permet de mettre un verbe à la forme négative.

→ .... relie un nom à un autre nom.

→ .... relie deux groupes de mots.

Je retiens

A LES ADVERBES

— Ils peuvent:
- ◆ avoir un sens négatif: *ne... pas, ne.... plus, ne... jamais...*
- ◆ avoir un sens interrogatif: *comment, pourquoi, quand, combien, où...*
- ◆ renforcer ou nuancer le sens d'un mot: *très, plus, tellement, si, bien, heureusement...*

B LES CONJONCTIONS DE COORDINATION

— Il y en a sept: *mais, ou, et, donc, or, ni, car.*

— Elles relient deux mots ou deux groupes de mots de même classe grammaticale.

— Certaines expriment des relations logiques:
- ◆ **la cause (*car*)**: *Il est rentré car il pleuvait.*
- ◆ **la conséquence (*donc*)**: *Il pleuvait, donc il est rentré.*
- ◆ **l'opposition (*mais*)**: *Il pleuvait, mais il est resté dehors.*

C LES CONJONCTIONS DE SUBORDINATION

— Elles introduisent une proposition subordonnée conjonctive.

— Les principales sont: *que, puisque, comme, quand, lorsque, si, parce que, bien que...*

D LES PRÉPOSITIONS

— Elles se rencontrent **devant un GN, un pronom, un verbe à l'infinitif**.

— On appelle **groupe prépositionnel** un mot ou un groupe introduit par une préposition.

— Les principales prépositions sont: *à, de, par, pour, sans, avec, chez, sur, sous, dans, en, entre, parmi, près de, grâce à, jusqu'à, au lieu de...*

E LES INTERJECTIONS ET LES ONOMATOPÉES

— Les interjections expriment une exclamation: *oh!, eh!, ah!*

— Les onomatopées imitent un bruit: *clac!, bang!, ding!, dong!*

Je m'entraîne

* 1 **Classe les mots invariables soulignés dans la bonne colonne.**

Arthur, le noble roi de Bretagne, était si preux et courtois qu'il avait rassemblé à sa cour les meilleurs chevaliers. Ils parcouraient le monde en quête d'aventure et, aux grandes fêtes, ils se retrouvaient avec le roi autour de la Table ronde.

Chrétien de Troyes, *Yvain, le Chevalier au Lion* (XIIᵉ s.), adapt. d'A.-M. Cadot-Colin,
© Le Livre de poche jeunesse, 2008.

ADVERBES	CONJONCTIONS DE COORDINATION	PRÉPOSITIONS
....	....	....

** 2 **Remplace les pointillés par la conjonction de coordination adaptée.**

1. Il est arrivé en retard .... il avait raté son train.

2. Je pars en vacances demain, ... je ne pourrai pas vous recevoir.

3. Il n'a rien apporté : .... livres, ... cahiers.

4. Il est parti en retard, ... il n'a pas raté son train.

** 3 **Remplace les pointillés par une préposition.**

1. Nous vivons .... d'une grande ville.   **3.** J'ai acheté une paire .... gants.

2. Viens dîner .... moi.   **4.** J'ai réussi .... ton aide précieuse.

** 4 **Relie les groupes prépositionnels comme il convient.**

1. Je me souviens de lui.   ▪

2. J'ai perdu mon livre de maths.   ▪   ▪ **RELIÉ À UN NOM**

3. Il était rouge de colère.   ▪   ▪ **RELIÉ À UN VERBE**

4. Regarde ce moulin à vent.   ▪   ▪ **RELIÉ À UN ADJECTIF**

** 5 **Remplace les pointillés par un mot invariable, puis précise sa classe grammaticale.**

1. Je suis .... contente .... ton travail.   → ....

2. .... restes-tu .... la pluie ?   → ....

3. Préfères-tu les fraises .... les cerises ?   → ....

4. .... irez-vous .... vacances cet été ?   → ....

*** 6 **Dans ce texte, souligne en bleu les prépositions, en jaune les adverbes et surligne les conjonctions de coordination.**

Après le festin, les chevaliers et les dames se rassemblèrent pour se raconter des histoires, le roi et la reine se retirèrent rapidement, mais la reine revint silencieusement et les chevaliers ne la virent pas, sauf Calogrenant qui se leva très vivement.

D'après Chrétien de Troyes, *Yvain, le Chevalier au Lion* (XIIᵉ s.), adapt. d'A.-M. Cadot-Colin,
© Le Livre de poche jeunesse, 2008.

*** 7 ## Expression écrite

Il t'est sans doute arrivé, un jour, comme à Calogrenant, d'éprouver une vive surprise. Raconte à quelle occasion et précise comment tu as réagi. Tu souligneras ensuite les mots invariables que tu auras utilisés et tu les nommeras.

6 Les homophones de *dans, sans, peu, ni, si*

Ils vinrent se placer autour du cercle que Merlin avait tracé, puis pénétrant **dans** le cercle, ils commencèrent des danses et des rondes d'une grâce et d'une gaîté **sans** pareilles.

Merlin (xiiie s.), adapt. d'A.-M. Cadot-Colin, © Le Livre de poche jeunesse, 2009.

Remplace les pointillés par un mot qui se prononce comme les mots en vert.

Inutile .... dire plus. Il ne .... souvient pas.

Je retiens

Des mots homophones ont la même prononciation mais pas la même orthographe.

A DANS, DENT, D'EN

- **Dans** est une préposition, elle se rencontre devant un GN, un CC de temps ou de lieu.
- **Dent** est un nom commun, il peut se mettre au pluriel.
- **D'en** c'est la préposition *de* élidée suivie du pronom personnel ou de la préposition *en*.

   *Combien veux-tu de sucres **dans** ton café ?*
   *– Merci je viens **d'en** mettre, trop de sucre fait mal aux **dents**.*

B SANS, SANG, S'EN, CENT, SENS, SENT

- **Sans** est une préposition, elle se rencontre devant un GN ou un infinitif.
- **Sang** est un nom commun qui désigne le liquide coulant dans les veines.
- **Cent** est un adjectif numéral.
- **S'en** est le pronom personnel *se* élidé suivi du pronom personnel *en*, il est fréquent devant le verbe *aller*.
- **Sens**, **sent** sont des formes appartenant au présent du verbe *sentir*, tu peux les remplacer par l'imparfait → *sentais, sentait*.

   *Il lui reste **cent** kilomètres à parcourir, mais ne te fais pas de mauvais **sang**, il **s'en** sortira **sans** problèmes, je **sens** qu'il en est capable.*

C PEU, PEUX, PEUT

- **Peu** est un adverbe indiquant une faible intensité ou une faible quantité (= pas beaucoup).
- **Peux**, **peut** sont des formes appartenant au présent du verbe *pouvoir*.
   Tu peux les remplacer par l'imparfait: *pouvais, pouvait*.

   *Je **peux** vous proposer un **peu** d'aide.*

D NI, N'Y

- **Ni** est une conjonction de coordination de sens négatif.
- **N'y** est la négation *ne* élidée suivie du pronom *y*.

   *Ce lieu est désert, on **n'y** rencontre **ni** hommes, **ni** animaux.*

E SI, S'Y, CI

- **Si** est un adverbe (intensité ou interrogation) ou une conjonction de subordination.
- **S'y** est le pronom personnel *se* élidé, suivi du pronom *y*.
- **Ci** est l'abréviation d'*ici* et ne se rencontre que dans des expressions (*ci-après, ci-joint…*).

   *Il fut **si** émerveillé par ce lieu qu'il **s'y** rendit quatre fois.* • ***Ci**-joint une photo !*

* 1 **Remplace les pointillés par *dans* ou un homophone.**

1. Je reviendrai .... cinq minutes.

2. Ce bébé n'a que deux ....

3. Je vis .... une jolie maison ; je t'envoie une photographie prise .... haut.

4. Il manque plusieurs .... à ces timbres, inutile .... parler à ce collectionneur.

* 2 **Remplace les pointillés par *sans* ou un homophone.**

1. Ne partez pas .... votre ciré, je .... qu'il va pleuvoir.

2. Il a fait preuve de beaucoup de ....-froid.

3. Il a payé ce tee-shirt .... euros, il ne .... remet pas !

4. Ce parfum .... très bon, ma sœur .... est aspergée !

* 3 **Remplace les pointillés par *peu* ou un homophone.**

1. ....-tu lui demander s'il a un .... de temps à me consacrer ?

2. Avec un .... de chance, il .... arriver à temps.

3. Il était à .... près deux heures, tu .... le vérifier facilement.

4. Je pourrais ....-être vous proposer un .... d'aide.

* 4 **Remplace les pointillés par *ni* ou *n'y*.**

1. Il .... avait personne .... chez Paul, ... chez Pierre.

2. Il .... a rien compris : sa mère ne lui a dit .... oui, ... non.

3. Je .... suis pour rien.

4. Dans ce village, il .... a .... médecin, ... pharmacien.

* 5 **Remplace les pointillés par *si* ou un homophone.**

1. .... tu essaies, tu réussiras.

2. Il faisait .... chaud sur la plage qu'elle ne .... est pas rendue avant seize heures.

3. Vous trouverez ....-joint un exemplaire de ce texte .... intéressant.

4. Cette règle est .... importante qu'il faut absolument .... conformer.

** 6 **Remplace les pointillés par un des homophones de la leçon.**

.... vous ne connaissez pas Merlin .... ses aventures, je vais vous en parler .... tarder. Il pouvait lire .... l'avenir aussi bien que .... le passé et changer d'apparence. Je .... vous raconter cette histoire grâce au confident de Merlin : Maître Blaise.   D'après *Merlin* (XIIIe s.), adapt. d'A.-M. Cadot-Colin, © Le Livre de poche jeunesse, 2009.

*** 7 Expression écrite

Tu as le choix entre les trois dons de Merlin : lire dans l'avenir, lire dans le passé, changer d'apparence. Lequel choisis-tu ? Justifie ton choix et explique comment tu utiliseras ce don. Tu commenceras ton devoir par : « Si j'avais à choisir un don... » et tu utiliseras les homophones de la leçon.

Quelles questions se poser pour relire une dictée ?

On ne relit pas une dictée comme on relit un texte pour mieux le comprendre ou mieux l'apprécier. Il est nécessaire de faire plusieurs relectures « ciblées ». Voici quelques pistes pour t'aider.

La première relecture

- Elle se fait avec le professeur, tu vérifies que tu n'as oublié aucun mot, aucune ponctuation, aucune majuscule après les ponctuations fortes.

La relecture pour les fautes d'usage

1. La relecture pour les accents

- Vérifie les accents sur les *e*. Quand il est suivi d'une consonne double ou d'un *x*, *e* se prononce *è* et ne prend pas d'accent : *intéresser*.
- Pense aux mots qui portent toujours un accent : *âge, dôme, abîme*…

2. La relecture pour les mots difficiles, les lettres doubles ou les lettres finales

- Il n'y a pas de méthode infaillible, car l'orthographe française n'est pas toujours logique. Tu peux penser à des mots de la même famille ou au féminin : *confort* (*confortable*).
- Tu peux aussi, si tu as une bonne mémoire visuelle, noter au brouillon les deux orthographes entre lesquelles tu hésites. Si tu as déjà rencontré ce mot, il y a des chances pour que tu reconnaisses la bonne orthographe.

La relecture pour les fautes de grammaire

1. La relecture pour les verbes conjugués

- Tu repères les verbes conjugués de chaque phrase, tu cherches les sujets et tu vérifies que les accords sont corrects.
- Quelques pièges à éviter :
  - → Les formes verbales composées font l'objet de deux accords : l'auxiliaire s'accorde en personne avec le sujet, et le participe passé s'accorde éventuellement *(voir fiche 28)*.
  - → Ne te trompe pas de sujet quand le verbe est précédé de plusieurs pronoms : *Il les voit*. Le sujet est *il* et non pas *les*.
  - → Un verbe peut avoir plusieurs sujets : *Mon frère et ma sœur sont venus*.

2. La relecture pour les accords des noms et des adjectifs qualificatifs

- Tu recherches les noms et leurs déterminants puis les adjectifs qualificatifs et le nom ou le pronom auxquels ils se rapportent et tu vérifies que les accords sont corrects.
- Les adjectifs sont parfois très éloignés du nom : *Épuisés par cette longue promenade en montagne, les randonneurs regagnèrent le refuge*.

3. La relecture pour les accents grammaticaux

- Vérifie les accents sur les *a* et les *ou*. Souviens-toi : *a* peut se remplacer par *avait*, *ou* peut se remplacer par *ou bien*. Sinon tu mets un accent.

4. La relecture pour les homophones

- Pense aux principaux homophones que tu as étudiés cette année *(cf. fiche 6)* et aux homophones étudiés en 6e : homophones de *mais, ces, ce*, homophones d'*être* et *avoir*. Vérifie que tu n'as fait aucune confusion.

À retenir

Pour bien relire une dictée : je suis d'abord très attentif à la relecture du professeur, ensuite je fais plusieurs relectures en me concentrant sur un seul objectif à chaque fois.

Applique la méthode

1 **Relis ce passage d'une dictée dans lequel se sont glissées trois fautes de verbes conjugués. Barre les verbes mal orthographiés puis corrige-les sous la dictée.**

Tous pensait que le sénéchal était le seul capable d'une action efficace. Ce dernier en conçu un grand orgueil et décida qu'il ne mènerai pas la guerre pour le compte du roi.

→ ....

....

2 **Même exercice avec trois fautes d'accord sur des noms.**

Quand les Saxon apprirent qu'il se retirait, ils multiplièrent leurs attaque. Moine tenta de raisonner Vertigier, il le supplia de l'aider en lui expliquant que le sort de ses sujet était en jeu.

→ ....

....

3 **Même exercice avec trois fautes d'accord sur des adjectifs qualificatifs.**

Après la mort du roi Moine, le sénéchal Vertigier gouverna le royaume, d'une façon cruel et tyrannique. Il savait que les fils du roi Constant s'étaient réfugiés en terre étrangères mais souhaitaient revenir. Il fit alors construire une tour si solide et si élevé qu'elle serait imprenable.

→ ....

....

4 **Dans cet extrait de dictée, tous les accents ont été oubliés. À toi de les rétablir !**

Le roi fit apporter des materiaux, batir des fours a chaux pour construire la tour. Apres trois semaines de travaux, tout s'ecroula. Trois fois de suite , le meme phenomene se produisit aussitot que la tour atteignait quatre metres de haut.

5 **Dans cet extrait de dictée, il y a six fautes liées à des homophones. Procède comme aux exercices 1 et 2.**

Vertgier décida dans parler à ces meilleurs barons. Les barons frappés de stupeur devant se fait peut banal lui conseillèrent de sans remettre à des astrologues. Mais les astrologues ni comprenaient rien.

→ ....

....

6 **Barre la mauvaise orthographe.**

1. attraper / attrapper   2. appeler / appeller   3. parmis / parmi

4. cauchemar / cauchemard   5. lycé / lycée   6. malgré / malgrés

7. puit / puits   8. secrétaire / secrètaire   9. loin / loing

10. bateau / bâteau   11. chateau / château   12. efficace / efficcace

7 **Relis cette dictée en procédant comme précédemment (exercices 1, 2 et 5). Tu dois trouver dix fautes.**

Les sept clerc astrologue étaient très expérimenté dans leur art. Ils consultèrent longuement les astres. Est pourtant, plus ils réfléchissait, moins ils trouvaient la solution. En fête, ils pensaient tous a la même réponse, mai, elle semblait sens rapport avec la tour.

→ ....

....

Je sais reconnaître les classes de mots et les degrés de l'adjectif

1 Précise la classe grammaticale des déterminants soulignés. ...... / 3 points

1. J'aime les romans de chevalerie. ▶ ....
2. Yvain est appelé chevalier au Lion. ▶ ....
3. Il faut du courage pour être un bon chevalier. ▶ ....
4. Deux chevaliers s'approchent. ▶ ....
5. Arthur réunissait sa cour à Carduel. ▶ ....

2 Précise la classe grammaticale des pronoms soulignés. ...... / 3 points

1. Les chevaliers se réunissent autour d'une table ronde. ▶ ....
2. Dis-moi celui que tu préfères. ▶ ....
3. Les nôtres sont vainqueurs. ▶ ....
4. Le chevalier revient du combat et espère ne pas y retourner. ▶ ....

3 Classe les mots soulignés dans la bonne colonne. ...... / 4 points

Les chevaliers racontaient ce qui leur était arrivé au roi et à sa cour. Ils racontaient aussi leurs histoires d'amour ; les dames appréciaient ces récits et en réclamaient toujours plus.

PRONOMS	DÉTERMINANTS
....	....

4 Classe les mots invariables soulignés dans la bonne colonne. ...... / 3 points

Écoutez donc cette histoire, elle est vraiment extraordinaire. Il s'agit d'une fontaine dont l'eau bout à gros bouillons et qui pourtant est froide comme le marbre.

CONJONCTIONS	ADVERBES	PRÉPOSITIONS
....	....	....

5 Souligne les adjectifs au comparatif et relie-les à la bonne catégorie. ...... / 2 points

1. Ce chevalier était aussi fort qu'un géant. ■
2. Je n'ai jamais vu une eau plus chaude que celle-là. ■
3. Cette fontaine est aussi froide que le marbre. ■
4. Voici maintenant une histoire moins étonnante. ■

■ SUPÉRIORITÉ

■ INFÉRIORITÉ

■ ÉGALITÉ

6 Souligne les adjectifs au superlatif et relie-les à la bonne catégorie. ...... / 2 points

	RELATIF	ABSOLU
1. La plus terrible des tempêtes s'est déclenchée.	☐	☐
2. C'est le meilleur des chevaliers.	☐	☐
3. Cet animal est très farouche.	☐	☐
4. Voici une fin tout à fait inattendue.	☐	☐

7 Indique la classe grammaticale des mots en vert. ...... / 3 points

Le cheval **en effet** marcha **sur** le trébuchet **de** bois, et aussitôt le mécanisme se déclencha:

....

la porte **aiguisée** comme une **lame** trancha la selle **et** l'arrière du cheval. Dieu merci, elle **ne**

....

toucha **pas** Yvain, elle s'abattit, rasant **son** dos, **lui** tranchant les **deux** éperons au ras **des** talons.

....

MON TOTAL .... / 20 points

Je sais distinguer les homophones et accorder les adjectifs de couleur

1 **Remplace les pointillés par un homophone de *dans*, *sans* ou *peu*.** ...... / 4 points

1. Je reviens .... cinq minutes, ... -tu m'attendre un ....
.... t'ennuyer ?

2. Je .... qu'il .... réussir .... problème.

3. Cette boisson est .... alcool, inutile .... priver les enfants.

4. Le bruit venait .... haut, c'est .... -être le voisin.

5. Tu .... lui répéter .... fois la même chose, il .... moque.

6. La vue du .... m'effraie, inutile .... parler !

2 **Remplace les pointillés par un homophone de *ni* ou *si*.** ...... / 4 points

1. Son lieu de travail est .... éloigné qu'il doit .... rendre en voiture.

2. C'est à .... rien comprendre : il n'est .... dans sa chambre, ... dans le salon.

3. .... tu veux mon avis, ... change rien : c'est très bien.

4. .... -joint quelques photos de vacances.

3 **Remplace les pointillés par un des homophones de la leçon.** ...... / 2 points

1. Viens .... tarder, je ne .... pas attendre plus longtemps, je te l'ai répété ....
fois. .... tu n'est pas là .... cinq minutes, je pars.

2. Il .... a pas de raison de .... aller .... tôt.

4 **Accorde correctement les adjectifs de couleur.** ...... / 3 points

1. Ne mets pas de chaussettes `ROUGE` ....

2. Ces chaussures `MARRON` .... sont très élégantes.

3. Pourquoi ne mets-tu pas cette chemise `BLEU CIEL` .... ?

4. J'aime beaucoup les chemises `BLANC` ....

5. Cette pièce `VERT PÂLE` .... est très lumineuse.

6. Elle porte de très jolis bracelets `TURQUOISE` ....

5 **Mets ces GN au pluriel et accorde en conséquence.** ...... / 2 points

1. un manteau violet ▸ ....

2. un foulard rouge vif ▸ ....

3. un sac bleu foncé ▸ ....

4. une lampe orange ▸ ....

6 **Barre les formes incorrectes.** ..... / 5 points

1. Comment peux / peut-tu apprécier ces murs bleus-marine / bleu marine ?

2. Ce chemin est s'y / si dangereux qu'il vaut mieux ne pas s'y / si aventurer.

3. Ne mets pas ces pierres turquoises / turquoise avec une chemise bleue / bleu.

4. Ce travail est parfait : n'y / ni ajoutez pas un mot n'y / ni même une image.

5. Il ne se sent / sens pas bien : il préfère sent / s'en aller.

Les fonctions essentielles

Je me souviens

Un curé avait **une très bonne paroisse**, c'est-à-dire qu'il en tirait un très fort revenu [...] et comme **il** ne faisait guère **l'aumône** lui-même, ni **la fête**, il était **riche**.

Les Fabliaux du Moyen Âge (XIIIᵉ s.), « Le testament de l'âne », adapt. de P. Gaillard et F. Rachmuhl, © Hatier, 2002.

Observe le texte et réponds aux questions.

Peux-tu supprimer les mots en vert ? → ....

Quelle est la fonction de : *un curé* et de *il* ? → ....

         : de *riche* ? ....

         : de *une très bonne paroisse*, *l'aumône* et *la fête* ? → ....

Je retiens

Les mots ayant une fonction essentielle sont indispensables pour que la phrase ait un sens.

A LE SUJET

- Le sujet est exprimé avec tous les verbes conjugués (sauf à l'impératif). Il indique qui fait ou qui subit l'action, ou l'état exprimé par le verbe.

- Le verbe conjugué s'accorde en nombre et en personne avec son sujet.

- Le sujet est souvent placé avant le verbe.

- Sa classe grammaticale est : nom, GN, pronom ou verbe à l'infinitif.

   ***Le curé** a une bonne paroisse.* (GN sujet) • ***Il** était riche.* (pr. pers. sujet)

B L'ATTRIBUT DU SUJET

- L'attribut du sujet exprime une caractéristique du sujet.

- On le rencontre après des **verbes d'état** (*être, paraître, sembler, avoir l'air, s'appeler…*).

- Sa classe grammaticale est : nom, GN, verbe à l'infinitif ou adjectif qualificatif.

   *Il était **riche**.* (adjectif qualificatif attribut du sujet).

C LES COMPLÉMENTS D'OBJET

- Les compléments d'objet expriment sur quoi ou pour qui s'exerce l'action du verbe.

- Les COD ne sont pas introduits par une préposition. Les COI sont introduits par une préposition (*à, de*) ou un article défini contracté. Les COS sont introduits de la même façon que les COI, mais ils s'ajoutent à un COD ou un COI.

- Leur classe grammaticale est : nom, GN, pronom, verbe à l'infinitif (pour le COD et le COI) ou proposition introduite par *que* (pour le COD) *(voir fiche 18).*

   *Il ne faisait pas **l'aumône**.* (GN COD) • *Il pense **à fermer la porte**.* (groupe infinitif COI) • *Il donne de l'argent **aux pauvres**.* (GN COS car il y a déjà un COD : *de l'argent*).

⚠ Les COI et COS pronoms personnels sont souvent placés avant le verbe sans préposition :
   *Il **lui** sourit.* (pr. pers. COI = *à lui*)

REMARQUES

En peut être COD s'il remplace un GN précédé d'un article partitif : *J'**en** mange.*

En et *y* peuvent être COI ou COS : *Je m'**en** moque.* • *Il **y** croit.*

1 Surligne les sujets puis indique leur classe grammaticale.
⚠ Certains sujets sont inversés.

1. Où vivait cet homme ? → ....
2. Ce sont des fabliaux. → ....
3. Autrefois voyager était difficile. → ....
4. Ensuite arriva le roi. → ....

2 Précise si les mots soulignés sont COD ou attributs du sujet, indique leur classe.

Le curé possédait un âne [*COD*] ; il l' [*COD*] aimait beaucoup. Cet âne était un animal très doux [*Attribut du sujet*]. Lorsqu'il mourut, le curé fut très triste [*attribut to sujet*]. Il l' [*COD*] enterra dans le cimetière des hommes. L'évêque du diocèse était un homme très différent [*Attribut du sujet*]. Il aimait s'amuser [*COD*] et dépensait tout son argent [*COD*]. Il détestait les riches curés avares [*COD*].

D'après *Les Fabliaux du Moyen Âge* (XIIIᵉ s.), « Le testament de l'âne »,
adapt. de P. Gaillard et F. Rachmuhl, © Hatier, 2002.

3 Même exercice pour les fonctions COD, COI, COS.

Lorsque quelqu'un lui [*COI*] dit que le curé avait enterré son âne en terre sainte [*COD*], l'évêque convoqua aussitôt le pauvre homme [*COD*]. Il lui [*COI*] adressa de sévères reproches [*COI*]. Le curé demanda un délai de réflexion [*COD*], il réfléchit à sa défense [*COI*] et décida de faire un sacrifice [*COI*]. × COD

D'après *Les Fabliaux du Moyen Âge* (XIIIᵉ s.), « Le testament de l'âne »,
adapt. de P. Gaillard et F. Rachmuhl, © Hatier, 2002.

4 Choisis la bonne fonction pour les pronoms soulignés.

1. Il vous voit.
2. Il vous a téléphoné.
3. Il vous a offert un cadeau.
4. Je lui ai dit la vérité.

COD
COI
COS

5 Surligne les mots ou groupes de mots ayant une fonction essentielle par rapport aux verbes conjugués soulignés. Indique leur fonction.

« Monseigneur, vous êtes mon juge devant Dieu. Si vous êtes d'opinion que j'ai péché

....

en traitant mon âne comme je l'ai fait, je me repens. Mais mon âne n'était vraiment pas

....

un âne comme les autres.

....

D'après *Les Fabliaux du Moyen Âge* (XIIIᵉ s.), « Le testament de l'âne »,
adapt. de P. Gaillard et F. Rachmuhl, © Hatier, 2002.

6 Expression écrite

Le curé aimait beaucoup son âne. As-tu, comme lui, un animal auquel tu tiens beaucoup ? Présente cet animal, explique pourquoi tu y es si attaché. Si tu n'as pas d'animal, indique quel est ton animal préféré et explique pourquoi tu l'apprécies.

Les fonctions circonstancielles (Rappe 6

Je me souviens

C'est l'histoire d'un paysan et de sa femme. Le jour de la fête de la Vierge, ils s'en vont prier à l'église. Pendant l'office, naturellement, le prêtre fait son sermon. Il dit que si l'on comprend les choses on voit tout de suite qu'il fait bon donner beaucoup pour le Bon Dieu ; ce qu'on lui donne de tout son cœur, il vous le rend au double.

> *Les Fabliaux du Moyen Âge* (XIIIe s.), « Brunain, la vache au prêtre »,
> adapt. de P. Gaillard et F. Rachmuhl, © Hatier, 2002.

Classe les compléments circonstanciels en vert sur la bonne ligne.

LIEU → ....

TEMPS → ....

MANIÈRE → ....

Si tu les supprimes, la phrase conserve-t-elle un sens ? → ....

Je retiens

Les fonctions circonstancielles renseignent sur les **circonstances de l'action** (lieu, époque…).
Mais elles ne sont pas indispensables pour que la phrase ait une signification.

A LES COMPLÉMENTS CIRCONSTANCIELS DE LIEU ET DE TEMPS

- Ils situent l'action dans l'espace et dans le temps.

- Ils répondent aux questions *où*, *quand*, *combien de temps*… :
  à l'église (**CCL**) • *Pendant l'office* (**CCT**).

B LES COMPLÉMENTS CIRCONSTANCIELS DE MANIÈRE ET DE MOYEN

- Ils renseignent sur la façon dont l'action se réalise ou sur ce qui permet de la réaliser.

- Ils répondent aux questions *comment*, *avec quoi*, *par quel moyen* :
  de tout son cœur (**CCma**) • *à cheval* (**CCmo**).

  REMARQUE On appelle ***CC d'accompagnement*** le CC qui indique avec qui l'action est faite.
  *Je pars en vacances **avec mes parents**.*

C LES CLASSES GRAMMATICALES

Les compléments circonstanciels peuvent être :

- un GN prépositionnel (sauf pour certains CCT) :
  Le jour de la fête de la Vierge • *cette nuit* (CCT GN, sans préposition).

- des pronoms (*en* et *y*) ou un groupe pronominal prépositionnel :
  *j'**y** vais* (CCL) • *après cela* (CCT).

- un groupe infinitif prépositionnel pour les CCT et les CCma :
  avant de partir (CCT) • *sans perdre de temps*.

- des adverbes *(voir fiche 5)* : *ici* (CCL) • *hier* (CCT) • *naturellement* (CCma).

⚠ Avec certains verbes (*être*, *aller*…), le CC peut devenir une fonction essentielle.
  *Je suis **dans ma chambre**.* → Si on retire le CCL, la phrase n'a aucun sens.

Je m'entraîne

★ 1 Relie les CC introduits par *avec* ou *sans* à leur fonction.

1. Je suis parti en vacances avec ma meilleure amie. ■
2. Ce tableau a été peint avec une éponge. ■
3. Il est sorti sans moi. ■
4. Cet acrobate travaille sans filet. ■
5. Il est venu sans se presser. ■

■ CCma

■ CCmo

■ CC d'accompagnement

★★ 2 Classe les CC soulignés dans la bonne colonne et précise leur classe grammaticale.

Après avoir entendu le curé, l'homme et la femme décident d'offrir leur vache, Blérain, au Bon Dieu. Ils retournent rapidement chez eux, le paysan entre dans l'étable, prend sa vache par la longe et va l'offrir au prêtre.

> D'après *Les Fabliaux du Moyen Âge* (xiiie s.), « Brunain, la vache au prêtre »,
> adapt. de P. Gaillard et F. Rachmuhl, © Hatier, 2002.

COMPLÉMENTS CIRCONSTANCIELS		CLASSES GRAMMATICALES
CCT ▸	▸	
CCL ▸	▸	
CCma ▸	▸	
CCmo ▸	▸	

★★ 3 Complète les phrases à l'aide de CC, en respectant les consignes.

1. J'ai rencontré une amie `CCT, GN SANS PRÉPOSITION`
2. J'ai ouvert la porte `CCma, ADVERBE`
3. J'ai ouvert la porte `CCmo, GN PRÉPOSITIONNEL`
4. Je suis sorti `CCT, GROUPE INFINITIF PRÉPOSITIONNEL`

★★ 4 Relève les CCL et précise ceux que l'on ne peut pas supprimer.

1. Il a lancé le ballon très loin. →
2. Il va en Angleterre. →
3. Ici, il est le plus jeune. →
4. Il n'est pas là. →

★★★ 5 Indique la fonction des mots soulignés. ⚠ Il n'y a pas que des CC.

Le clerc mène les deux vaches [...............] au pré [...............], les [...............] attache ensemble [...............], puis les laisse. Mais quand Brunain se penche pour paître, Blérain résiste, elle tire la longe [...............] et entraîne Brunain [...............] hors du pré [............]. Elle l' [...............] emmène avec elle [...............] par les rues et par les prairies [............]. Elle revient jusqu'à son étable [...............]. Le paysan les voit, il est tout joyeux [...............] et dit : « Ah ! Ma femme, c'est vrai, Dieu est un bon doubleur ! [...............]. »

> D'après *Les Fabliaux du Moyen Âge* (xiiie s.), « Brunain, la vache au prêtre »,
> adapt. de P. Gaillard et F. Rachmuhl, © Hatier, 2002.

★★★ 6 Expression écrite

À ton tour, imagine une histoire où celui qui voulait profiter de quelqu'un voit le piège se retourner contre lui. Tu souligneras ensuite les CC que tu auras utilisés.

9 Les CC de cause, conséquence, but et comparaison

J'observe

Un bourgeois d'Abbeville avait quitté son pays à cause de la guerre. Il avait quitté sa ville pour aller à Paris. Il vécut sept ans à la manière d'un grand seigneur.

D'après *Les Fabliaux du Moyen Âge* (XIIIe s.), « La housse partie »,
adapt. de P. Gaillard et F. Rachmuhl, © Hatier, 2002.

Observe le texte et réponds aux questions.

Quel fait a provoqué le départ du bourgeois ? → ....

Quel était le but de son voyage ? → ....

À qui est comparé le bourgeois ? → ....

Je retiens

A LE COMPLÉMENT CIRCONSTANCIEL DE CAUSE

➤ Le CC de cause est introduit par *pour, par, à cause de, grâce à, à force de*...
Il répond à la question *pourquoi*.

→ *Pourquoi le bourgeois a-t-il quitté son pays ? à cause de la guerre*

B LE COMPLÉMENT CIRCONSTANCIEL DE CONSÉQUENCE

➤ C'est un fait qui est le résultat d'un autre, c'est l'inverse de la cause.

→ *Le départ est* **la conséquence de la guerre**.

➤ Le CC de conséquence est introduit par *à, au point de, assez*... ou *trop... pour*...

REMARQUE Dans une phrase, la cause et la conséquence sont toujours liées.
Il a mangé du chocolat ***à en être malade*** (= au point d'être malade).

C LE COMPLÉMENT CIRCONSTANCIEL DE BUT

➤ Il n'exprime pas un fait réel, mais une intention, un objectif que l'on poursuit.

→ *Paris,* **le but du voyage**.

➤ Le CC de but est introduit par *pour, afin de, en vue de, de peur de, de crainte de*.

→ *Il a emporté un parapluie* ***de peur d'une averse***.

D LE COMPLÉMENT CIRCONSTANCIEL DE COMPARAISON

➤ Il rapproche deux réalités pour souligner des points communs ou des différences.

→ *Le mode de vie du bourgeois* **est comparé à celui d'un grand seigneur**.

➤ Le CC de comparaison est introduit par *à la manière de, contrairement à*...

→ *Je travaille* ***contrairement à toi***.

REMARQUES La comparaison est souvent exprimée par un GN introduit par *comme, ainsi que*...
Ces mots sont des conjonctions et non des prépositions (il y a un verbe sous-entendu).
Il s'agit donc d'une proposition dont le verbe est sous-entendu.
Les deux frères sont entrés ***comme des voleurs*** (sous-entendu: *seraient entrés*).

* 1 Souligne les CC de cause et de but, puis précise leur classe grammaticale.

1. Grâce à toi, j'ai surmonté cette épreuve. → ....

2. Nous partirons tôt pour arriver avant la nuit. → ....

3. Il s'est cassé la voix à force de crier. → ....

4. Je ferme toujours ma fenêtre la nuit de crainte des moustiques. → ....

** 2 Souligne les causes et encadre les conséquences en suivant l'exemple.

Ex : *J'ai mis un bonnet et une écharpe* à cause du froid.

1. En raison de son jeune âge, ce petit oiseau ne peut pas voler.

2. Il a été reçu premier à notre grande satisfaction.

3. Cette plante ne se développe pas faute de clarté.

4. Il s'est exposé au soleil au point de devenir tout rouge.

** 3 Indique la fonction des groupes prépositionnels introduits par *pour*.

1. Il y a assez de pommes sur l'arbre pour faire une tarte. → ....

2. Il court pour ne pas rater son train. → ....

3. Pour avoir trop attendu, le lièvre n'a pas pu dépasser la tortue. → ....

4. Il est arrivé à l'improviste pour notre plus grand plaisir. → ....

** 4 Souligne les comparaisons et précise leur classe grammaticale : groupe prépositionnel, proposition avec verbe sous-entendu, adjectif au comparatif.

1. Ce chou est gros comme une citrouille. → ....

2. Ils entrèrent chez le voisin à la façon des voleurs. → ....

3. Il est plus grand que moi. → ....

4. Contrairement à mes habitudes, je suis partie en avance. → ....

*** 5 Indique la fonction exacte des CC soulignés puis précise leur classe grammaticale.
⚠ **Il y a aussi des CC de la fiche 8.**

Un bourgeois d'Abbeville, se rendit un jour [......................] à Paris [......................] avec sa femme et son fils [......................] pour y faire du commerce [......................]. Il y vécut heureux pendant sept ans [......................]. À la mort de sa femme [......................] son fils était assez âgé pour se marier [......................]. Le bourgeois lui promit de lui trouver une épouse noble. En face de chez lui [......................], vivait une jeune fille noble dont le père était ruiné. À cause de cela [......................], le noble exigea que le bourgeois donne à son fils la totalité de ses biens. L'homme réfléchit rapidement [......................] puis accepta. Le pauvre homme vécut alors chez son fils [......................] à la façon d'un mendiant [......................].

D'après *Les Fabliaux du Moyen Âge* (XIIIᵉ s.), « La housse partie »,
adapt. de P. Gaillard et F. Rachmuhl, © Hatier, 2002.

*** 6 Expression écrite

Choisis l'un de ces titres : un départ mouvementé ; une journée inoubliable ; un match de foot à rebondissements ; un spectacle féerique. Rédige un paragraphe pour l'illustrer. Tu utiliseras au moins une fois chacun des CC de la fiche et tu les souligneras.

10 Le complément d'agent

Les deux frères vivaient ensemble. Un soir, ils furent vraiment comme poussés hors d'eux-mêmes par cette faim en leur ventre, par la soif dans leur gorge, par le froid dans leur corps et dans leur cœur.

Les Fabliaux du Moyen Âge (XIIIe s.), « Estula », adapt. de P. Gaillard et F. Rachmuhl, © Hatier, 2002.

Observe le texte et réponds aux questions.

Qui vivait ensemble ? → ....

Quelle est la fonction du groupe ? → ....

Qu'est-ce qui pousse les deux frères hors d'eux-mêmes ? → ....

Complète la phrase. → Un soir, la faim, la soif et le froid les .... hors d'eux-mêmes.

Je retiens

A DÉFINITION

━ Le **complément d'agent** (agent = qui agit) indique celui **qui fait l'action** exprimée par le verbe. Dans ce cas, le **sujet** du verbe **subit** l'action.
*Les deux frères furent poussés hors d'eux-mêmes **par la faim*** (complément d'agent).

━ Le complément d'agent se rencontre après un verbe à la voix passive ou après un participe passé utilisé comme adjectif.
*Le chien attiré **par l'odeur** entra dans la cuisine.*

REMARQUE Le complément d'agent n'est pas obligatoire si l'auteur de l'action est inconnu ou sans intérêt. *Ce château a été construit au Moyen Âge.* (on ne sait pas par qui)

⚠ Les prépositions *par* et *de* n'introduisent pas que des compléments d'agent *(voir fiches 7, 8 et 9)*.
*Je me souviens **de lui*** (COI). • *Il est passé **par Paris*** (CCL).

B LES CLASSES GRAMMATICALES

━ Le complément d'agent est toujours introduit par ***par*** ou ***de***.

━ C'est souvent un GN. → *Ces jardins furent dessinés **par Le Nôtre**.*

━ C'est parfois un pronom. → *Je suis très étonné **de cela**.*

━ C'est parfois un verbe à l'infinitif. → *Je suis étonné **de l'entendre**.*

C LA TRANSPOSITION VOIX PASSIVE / VOIX ACTIVE

━ Une phrase à la voix passive peut toujours être transposée à la voix active. Le complément d'agent devient le **sujet** du verbe à la voix active et le sujet devient **COD**.

Les feuilles mortes sont emportées par le vent. = voix passive
(sujet)   (c. d'agent)

Le vent emporte les feuilles mortes. = voix active
sujet   COD

━ Lorsque le complément d'agent n'est pas exprimé, il faut utiliser ***on*** comme sujet.
Ce mur a été repeint hier. → ***On** a repeint ce mur hier.*

━ Le temps du verbe doit rester le même, on prend le temps de l'auxiliaire.
*Ce mur **sera** repeint demain.* → *On **repeindra** ce mur demain.*

━ Pour être transposée à la voix passive, une phrase doit comporter un **COD**.
*Les enfants jouent **à la balle**.* → **COI** : transposition impossible.

Je m'entraîne

1 **Souligne les compléments d'agent.**

1. La souris a été dévorée par le chat.   2. L'Amérique a été découverte par Christophe Colomb.

3. Un trésor a été découvert par deux enfants. **4.** Tes armoires sont encombrées d'objets inutiles.

2 **Transpose les phrases de l'exercice 1 à la voix active en suivant l'exemple.**

1. *Le chat a dévoré la souris.*   **2.** ....

3. ....   **4.** ....

3 **Souligne les compléments d'agent et précise s'ils complètent un verbe conjugué ou un participe passé.**

1. Cette pièce interprétée par d'excellents comédiens nous a beaucoup plu. → ....

2. Ce château est habité par de nouveaux propriétaires.   → ....

3. Ces terres balayées par les vents ne sont pas très fertiles.   → ....

4. Ces histoires sont connues du monde entier.   → ....

4 **Transpose à la voix active ces phrases dont le sujet est un pronom personnel.**

Ex.: Il est apprécié de tous. → Tous l'apprécient.

1. Elle est rassurée par ta présence.   → ....

2. Tu seras étonné de sa performance.   → ....

3. Nous sommes envahis par les moustiques.   → ....

4. Elle a été recrutée par une banque.   → ....

5 **Indique la classe grammaticale et la fonction des groupes soulignés.**
⚠ **Il n'y a pas de complément d'agent (CA) dans chaque phrase.**

1. Mes doigts sont engourdis par le froid.   → ....

2. Son exposé était bon, mais j'ai été émerveillé par le tien. → ....

3. Il est passé par des chemins détournés.   → ....

4. Il s'est souvenu de ta gentillesse.   → ....

6 **Donne la fonction des groupes soulignés.**

Les deux frères décident d'aller voler des choux et un mouton [............] chez leur riche

voisin [............] . Le voisin entend du bruit [............] . Il appelle alors son chien nommé

« Estula ». Un des deux frères répond: « Je suis là [............] ! » Le voisin, effrayé par cette

réponse [............] , croit son chien possédé par le diable [............] . Il demande à son fils

[............] d'aller chercher le curé [............] pour faire exorciser le chien [............] .

D'après *Les Fabliaux du Moyen Âge* (XIIIᵉ s.), « Estula »,
adapt. de P. Gaillard et F. Rachmuhl, © Hatier, 2002.

7 **Expression écrite**

**Le nom du chien provoque un quiproquo, comme au théâtre. À ton tour, imagine
une histoire où quelqu'un interprète mal un mot et provoque un quiproquo.
Essaie d'introduire un complément d'agent que tu souligneras.**

L'épithète et le complément du nom

Je me souviens

Il y avait, dans le même pays, un paysan très <u>riche</u> et très <u>avare</u> et un chevalier <u>veuf</u> mais <u>pauvre</u>. Le paysan n'avait pas de femme, le chevalier avait une fille très <u>belle</u> et très <u>distinguée</u>. Les amis du paysan allèrent trouver le chevalier et lui firent un beau portrait de leur compagnon et de ses richesses.

D'après *Les Fabliaux du Moyen Âge* (XIIIᵉ s.), « Le vilain mire », adapt. de P. Gaillard et F. Rachmuhl, © Hatier, 2002.

Observe le texte et réponds aux questions.

Quelle est la fonction des adjectifs soulignés ? → ....

Quels mots ou groupes de mots apportent des précisions sur les noms en vert ?
→ amis : ....
→ portrait : ....

Je retiens

A LES EXPANSIONS DU GROUPE NOMINAL

- Un nom et son déterminant constituent le **groupe nominal minimal**.
- On appelle **expansions du groupe nominal** tous les mots qui l'enrichissent.
- Les expansions ne sont pas essentielles, on peut les supprimer.
- Leur classe grammaticale et leur fonction varient.

B L'ÉPITHÈTE

- L'épithète est un **adjectif qualificatif** ou un équivalent (participe, nom utilisé comme adjectif…), placé avant ou après le nom.
- Plusieurs épithètes peuvent se rapporter à un seul nom et une seule épithète peut se rapporter à plusieurs noms.
  *Un paysan très **riche** et très **avare**.* → deux épithètes pour un nom

C LE COMPLÉMENT DU NOM (CDN)

- Le CDN est un groupe qui complète un nom ou un pronom.
- Le CDN est souvent introduit par une préposition : *de (du, des), à (au, aux), en*.
- Il apporte des précisions sur l'origine, l'appartenance, la matière, la qualité…
- Sa classe grammaticale est un GN ou un équivalent (pronom, infinitif…).
  Il peut aussi être un adverbe : *La réunion d'**aujourd'hui** est annulée.*
- Il est placé après le nom, mais il peut aussi compléter un pronom.
  *les amis **du paysan*** • *ceux **de mon frère***

REMARQUE Un même nom peut avoir plusieurs expansions de classe et de fonction différentes. Le nom complété par une ou plusieurs expansions constitue le **noyau** du GN.

⚠ Même si le CDN n'est pas essentiel à la correction grammaticale de la phrase, il apporte parfois des renseignements très importants. *Je vous indique la façon **d'arriver chez nous.***

Je m'entraîne

⁎ 1 Souligne les adjectifs épithètes et précise quel(s) nom(s) ils complètent.
⚠ **Certains adjectifs ne sont pas épithètes.**

1. Cette longue écharpe bleue te va très bien. → ....
2. J'ai acheté une veste et un pantalon noirs. → ....
3. La jolie jeune fille était obéissante. → ....
4. Ce sac et cette pochette sont tout neufs. → ....

⁎ 2 Souligne les compléments du nom et précise quel(s) nom(s) ils complètent.

1. La fille du chevalier épousa le paysan. → ....
2. La belle au bois dormant et Riquet à la Houppe sont des titres de contes. → ....
3. Ce vase en cristal est un cadeau de ma grand-mère. → ....
4. Les fabliaux du Moyen Âge se terminent souvent par une leçon de morale. → ....

⁎⁎ 3 Remplace les épithètes en vert par un complément du nom de même sens.
Ex. : la fraîcheur matinale → la fraîcheur du matin.

1. les produits régionaux → .... | 2. la vie rurale → ....
3. une température estivale → .... | 4. l'intervention divine → ....

⁎⁎ 4 Souligne les compléments du nom et indique leur classe grammaticale.

1. La femme du paysan était très malheureuse. → ....
2. Ce fut un plaisir de vous voir. → ....
3. Il n'a aucune confiance en lui. → ....
4. Les gens d'ici sont très accueillants. → ....

⁎⁎⁎ 5 Relève les expansions des noms noyaux soulignés, puis précise leur classe et leur fonction.

Les travaux des champs obligeaient le paysan à partir chaque jour. Il craignait que sa jeune et jolie femme n'en profite pour recevoir des jeunes gens. Il eut alors la mauvaise idée de la battre violemment chaque matin. Il pensait qu'ainsi elle pleurerait toute la journée et ne recevrait personne.

D'après *Les Fabliaux du Moyen Âge* (XIIIᵉ s.), « Le vilain mire », adapt. de P. Gaillard et F. Rachmuhl,
© Hatier, 2002.

EXPANSIONS	CLASSE	FONCTION
....	....	....
....	....	....
....	....	....
....	....	....
....	....	....

⁎⁎⁎ 6 Expression écrite

**T'est-il déjà arrivé d'avoir recours à une ruse pour échapper à une situation délicate ?
Si oui, raconte, sinon invente une histoire !**

12 La proposition relative et le pronom relatif

Écoutez la belle **histoire** qui est arrivée jadis à un paysan comme vous.

Les Fabliaux du Moyen Âge (XIIIe s.), « Du vilain qui conquit le paradis par plaid »,
adapt. de P. Gaillard et F. Rachmuhl, © Hatier, 2002.

Observe le texte et réponds aux questions.

Relève une épithète du nom en vert. → ....

Souligne le groupe de mots qui apporte aussi des précisions sur ce nom.

Relève un verbe conjugué dans ce groupe. → ....

Je retiens

A LA PROPOSITION SUBORDONNÉE RELATIVE

- La relative est une expansion d'un nom ou d'un pronom et comporte un **verbe conjugué** *(voir fiches 16 et 18)*.
- Elle est introduite par un pronom relatif.
- On appelle **antécédent du pronom relatif** le nom ou le pronom complété.
- La fonction de la proposition relative est **complément de l'antécédent**.
  *L'**histoire** (**qui** est arrivée jadis à un paysan comme vous).*

B LE PRONOM RELATIF

- Les principaux pronoms relatifs sont: *qui, que, quoi, dont, où, lequel, auquel, duquel.*
- Comme tous les pronoms, le pronom relatif a une fonction grammaticale à l'intérieur de sa proposition.
- Le pronom relatif n'indique pas la personne. Le verbe s'accorde en personne avec l'antécédent. → *C'est **toi** qui **es** arrivée la première.*

C LES FONCTIONS DU PRONOM RELATIF

- *Qui* est sujet, *que* est COD, *où* est CCL ou CCT.
- *Dont* et *duquel* (= compléments introduits par *de*) sont complément du nom, COI…
- *Auquel, à qui, à quoi* correspondent aux compléments introduits par *à*.
- Tu peux remplacer le relatif par son antécédent pour trouver plus facilement sa fonction.
  *L'histoire **que** je te raconte.* → *je te raconte une histoire*, antécédent de *que*, COD

Je m'entraîne

1 **Souligne les propositions relatives et encadre les pronoms relatifs.**

1. Le fabliau dont je t'ai parlé s'appelle « Estula ».

2. Le film que nous avons vu hier ne sera plus à l'affiche la semaine prochaine.

3. La Bretagne est une région où nous passons souvent nos vacances.

4. Le spectacle auquel nous avons assisté était de grande qualité.

2 Remplace les pointillés par le pronom relatif qui convient et souligne son antécédent.

1. Nous sommes entrés dans une pièce .... il faisait très sombre.

2. Ils ont emprunté un chemin .... ne menait nulle part.

3. Le livre .... tu m'as prêté était passionnant.

4. J'ai acheté le sac .... je rêvais depuis longtemps.

3 Remplace les adjectifs épithètes soulignés par une relative de même sens.
Utilise une seule fois les pronoms suivants : *qui • que • dont • auquel [à laquelle]*.
Ex. : J'ai reçu un cadeau inattendu. → auquel je ne m'attendais pas

1. Un bruit <u>anormal</u> nous a réveillés. → ....

2. C'est une nouvelle <u>incroyable</u>. → ....

3. Ce fut un trajet <u>interminable</u>. → ....

4. Ne reste pas avec ce pull <u>taché</u>. → ....

4 Remplace les relatives soulignées par un adjectif qualificatif épithète.

1. C'est un animal <u>qui vit la nuit</u>. → ....

2. Je lis une revue <u>qui paraît tous les trois mois</u>. → ....

3. Au début c'était un changement <u>qui ne se voyait pas</u>. → ....

4. La vache est un animal <u>qui mange de l'herbe</u>. → ....

5 Souligne les pronoms relatifs et indique leur fonction grammaticale.
Ex. : Voici l'idée <u>que</u> nous avons eue. → COD de avons eue

1. Je viens de finir un livre qui m'a beaucoup plu. → ....

2. Je te présente Paul dont la maison est voisine de la nôtre. → ....

3. C'est un pays où je vais souvent. → ....

4. C'est le livre dont je me souviens le mieux. → ....

5. C'est le sport que je préfère. → ....

6 Relève et analyse toutes les expansions des noms en vert.

Le paysan venait de mourir, mais son âme que personne, ni ange, ni démon n'était venu chercher, attendait. Le paysan décida alors de suivre l'archange saint Michel qui transportait une âme au paradis. Jésus intervint alors, le récit de la vie du paysan lui montre que le paysan a bien mérité de rester au paradis.

D'après *Les Fabliaux du Moyen Âge* (xiiiᵉ s.), « Du vilain qui conquit le paradis par plaid »,
adapt. de P. Gaillard et F. Rachmuhl, © Hatier, 2002.

• *Âme* → ....
....

• *Archange saint Michel* → ....
....

• *Récit* → ....
....

7 Expression écrite

**La conclusion du fabliau est : « Mieux vaut la raison que la force. »
À ton tour, imagine une histoire qui illustre cette morale.**

13 Les prépositions et leurs emplois

Je me souviens

Les deux vaches d'une pauvre femme s'enfuirent un jour. Le prévôt les trouva et les conduisit chez lui. Il refusa de les rendre à leur propriétaire. La vieille femme expliqua alors l'histoire à sa voisine.

D'après *Les Fabliaux du Moyen Âge* (XIIIe s.), « La vieille qui graissa la patte au chevalier », adapt. de P. Gaillard et F. Rachmuhl, © Hatier, 2002.

Observe le texte et réponds aux questions.

Quelle est la classe grammaticale des cinq mots en vert ? → ....

Quelle est la classe grammaticale des cinq mots ou groupes de mots qu'ils introduisent ?
→ ....

Je retiens

A LE RÔLE DES PRÉPOSITIONS

- Les prépositions introduisent un groupe appelé **groupe prépositionnel**.
- Ces groupes sont des GN ou un équivalent (pronom, infinitif).
- Une même préposition introduit différentes sortes de fonctions.

B LES DIFFÉRENTS GROUPES PRÉPOSITIONNELS

- **Fonctions essentielles** : COI, COS, attribut du sujet, complément d'agent.
- **Fonctions circonstancielles** : tous les compléments circonstanciels sauf quelques CCT.
- Un groupe prépositionnel peut aussi être **complément du nom** ou **complément d'adjectif**.

C LA PRÉPOSITION À (AU, AUX)

Elle peut introduire :

- un COI : *Je pense **à toi**.*
- un COS : *J'ai envoyé des fleurs **à ma grand-mère**.*
- un CCL : *Je vais **au collège**,* ou un CCT : *il est arrivé **à cinq heures**.*
- un complément du nom : *un moulin **à vent**.*

D LA PRÉPOSITION DE (DU, DES)

Elle peut introduire :

- un COI : *Je me souviens **de lui**.*
- un attribut du sujet : *Elle est **d'un naturel joyeux**.*
- un CCL : *Je sors **du collège**,* un CCT : *Il est sorti **de bonne heure*** ou un CCma : *Il marche **d'un bon pas**.*
- un complément d'agent : *Il est apprécié **de tous ses collègues**.*
- un complément du nom : *la vache **de la pauvre femme**.*
- un complément d'adjectif au superlatif : *C'est le plus grand **de la classe**.*

REMARQUE D'autres prépositions ont plusieurs emplois : *dans, avec, en…*

Je m'entraîne

★ 1 Relie les groupes prépositionnels à leur classe grammaticale.

1. Il marche sans s'arrêter.   ▪

   ▪ **GN**

2. Il rentre chez lui.   ▪

   ▪ **PRONOM**

3. Il est le fils de ma voisine.   ▪

4. Viens près de moi.   ▪

   ▪ **INFINITIF**

★ 2 Indique la fonction des groupes prépositionnels soulignés.

1. J'écris avec un stylo feutre.   → ....

2. Je voyage avec mes parents.   → ....

3. Il entre dans la classe.   → ....

4. Il porte souvent une veste en cuir.   → ....

★★ 3 Indique la classe grammaticale et la fonction des groupes introduits par *à* ou *de*.

1. C'est une histoire à dormir debout.   → ....

2. Je pense souvent à lui.   → ....

3. Je suis étonnée de sa force.   → ....

4. C'est le moment de partir.   → ....

★★ 4 Complète ces phrases par un groupe prépositionnel en suivant les indications.

Ex.: Je te présente la sœur GN / COMPLÉMENT DU NOM ▸ *de mon amie Julie.*

1. Nous rêvons INFINITIF, COI ▸ ....

2. Ils ont été surpris GN, COMPLÉMENT D'AGENT ▸ ....

3. Nous avons gagné PRONOM, CC DE CAUSE ▸ ....

4. Nous sommes venus INFINITIF, CC DE BUT ▸ ....

★★★ 5 Souligne tous les groupes prépositionnels, puis précise leur classe grammaticale et leur fonction.

La voisine de la vieille dame lui dit : « Si tu arrives à graisser la patte au chevalier, il parlera

....

au prévôt et celui-ci acceptera de te rendre tes vaches. » La vieille rentre chez elle, elle

....

prend un morceau de lard et attend le chevalier devant sa maison. Lorsqu'il arrive avec ses

....

courtisans, elle s'approche de lui et lui graisse les paumes de main avec son lard.

....

D'après *Les Fabliaux du Moyen Âge* (XIIIᵉ s.), « La vieille qui graissa la patte au chevalier »,
adapt. de P. Gaillard et F. Rachmuhl, © Hatier, 2002.

★★★ 6 Expression écrite

La vieille femme n'a pas compris l'expression « graisser la patte » qui signifie « donner de l'argent à quelqu'un pour obtenir une faveur ». Imagine à ton tour une histoire amusante provoquée par la mauvaise interprétation d'une expression.
Voici quelques idées d'expressions, mais tu peux en choisir une autre : prendre un bol d'air, donner sa langue au chat, un froid de canard.

Comment distinguer COI, complément du nom et complément d'agent

On confond souvent COI, complément du nom et complément d'agent parce qu'ils peuvent être introduits par les mêmes prépositions. Voici comment éviter de les confondre.

Pour le COI

- Le COI complète un **verbe dont il est complément essentiel**.
- Ce verbe a un **sens actif** (le sujet fait l'action).

  Nous avons assisté à un très beau concert.
  Le COI complète le verbe *assister*, si on le supprime la phrase n'a plus de sens.

  Ne te moque pas de ma nouvelle coiffure !
  Le COI complète le verbe *se moquer*, on ne peut pas le supprimer.

Pour le complément du nom

- Le complément du nom complète un **nom après lequel il est placé**.
- Si on le supprime, la phrase conserve son sens.

  Nous avons dégusté une excellente crème à la vanille.
  Vanille complète le nom *crème*, si on supprime le complément du nom, la phrase a un sens satisfaisant.

  L'arête de poisson bouche le gosier de la princesse.
  Poisson et *princesse* complètent les noms *arête* et *gosier*, mais on pourrait les supprimer.

Pour le complément d'agent

- Le complément d'agent complète un **verbe à la voix passive**.
- Il **fait l'action** exprimée par le verbe (le sujet du verbe subit l'action).
- On peut remplacer *de* par *par*.

  Le curé est respecté des paysans.
  Les paysans font l'action, on peut dire : « par les paysans ».

À retenir

Méfie-toi des questions : *de qui, de quoi, à qui, à quoi*… posées sans discernement car elles t'induisent en erreur. **La première question à te poser est : le complément complète-t-il un verbe ou un nom ?**
S'il complète un nom, c'est un complément du nom.
S'il complète un verbe, on cherche qui fait l'action.
Si le complément fait l'action, c'est un complément d'agent.
Sinon c'est un COI.

Applique la méthode

1 Les groupes soulignés sont-ils COI ou complément du nom ? Surligne le nom ou le verbe complété.

	COI	COMPLÉMENT DU NOM
1. Il s'approche <u>du but</u>.	☐	☐
2. Je vais vous exposer le but <u>de ma visite</u>.	☐	☐
3. Elle ressemble <u>à sa sœur</u>.	☐	☐
4. Je te présente une amie <u>de ma sœur</u>.	☐	☐
5. Je me suis adressé <u>à sa sœur</u>.	☐	☐
6. J'ai bien réfléchi <u>à la situation</u>.	☐	☐

2 Les groupes soulignés sont-ils COI ou complément d'agent ?

	COI	COMPLÉMENT D'AGENT
1. Il est aimé <u>de toute sa famille</u>.	☐	☐
2. Il se charge <u>des boissons</u>.	☐	☐
3. Les fabliaux s'inspirent <u>de la vie des paysans</u>.	☐	☐
4. Il est acclamé <u>de tous les spectateurs</u>.	☐	☐
5. Ne te plains pas <u>de ton sort</u>.	☐	☐

3 Relie les compléments introduits par *à* à leur fonction.

1. Il pense à nous. ▪
2. Nous obéissons à nos parents. ▪   ▪ COI
3. C'est un feuilleton à épisodes. ▪
4. Ce conte s'appelle « Riquet à la houppe ». ▪
5. Nous jouons au ballon. ▪   ▪ COMPLÉMENT DU NOM
6. Adresse-toi au directeur. ▪

4 Relie les compléments introduits par *de* à leur fonction.

1. Il faut se méfier des courants d'air. ▪
2. Les animaux de la forêt ont peur. ▪   ▪ COI
3. Nous avons lu des extraits de fabliaux. ▪
4. Ce cyclone est redouté de tous les habitants. ▪   ▪ COMPLÉMENT DU NOM
5. Le sol est couvert de feuilles mortes. ▪
6. Nous nous chargeons du balayage. ▪   ▪ COMPLÉMENT D'AGENT

5 Complète ces phrases en suivant les indications. Tu peux placer les compléments du nom où tu veux dans la phrase.
Ex.: Nos amis se souviennent [COI + COMPLÉMENT DU NOM] *Nos amis **de Paris** (complément du nom) se souviennent **de cette soirée** (COI).*

1. L'orage a été suivi [COMPLÉMENT D'AGENT + COMPLÉMENT DU NOM] ....

2. Munissez-vous [COI + COMPLÉMENT DU NOM] ....

3. J'ai téléphoné [COI + COMPLÉMENT DU NOM] ....

4. Mon frère est apprécié [DEUX COMPLÉMENTS D'AGENT COORDONNÉS] ....

5. Ma sœur a renoncé [INFINITIF COI + COMPLÉMENT DU NOM] ....

6. Le chien a sauté par la fenêtre [DEUX COMPLÉMENTS DU NOM] ....
....

6 Utilise les compléments suivants dans des phrases en respectant les consignes.
Ex.: de cette jeune fille : a) COI *Je me souviens de cette jeune fille.*
b) COMPLÉMENT D'AGENT *Paul est aimé de cette jeune fille.*
c) COMPLÉMENT DU NOM *La vie de cette jeune fille est extraordinaire.*

1. De sa ruse.   a) COMPLÉMENT D'AGENT ....
     b) COMPLÉMENT DU NOM ....
     c) COI ....

2. Des enfants.   a) COMPLÉMENT D'AGENT ....
     b) COI ....
     c) COMPLÉMENT DU NOM ....

3. À laver.   a) COMPLÉMENT DU NOM ....
     b) COI ....

Je sais reconnaître les fonctions dans la phrase

1 **Indique la fonction des mots ou groupes soulignés.** ...... / 3 points

1. Dans les fabliaux, <u>les femmes</u> sont souvent <u>très rusées</u>. ◻ ....

2. Avez-<u>vous</u> apprécié <u>ces fabliaux</u> ? ◻ ....

3. <u>Les élèves</u> sont souvent intéressés <u>par le Moyen Âge</u>. ◻ ....

2 **Indique si les compléments soulignés sont COD, COI ou COS.** ...... / 1 point

1. Le curé qui mangea <u>des mûres</u>. ◻ ....

2. Je ne me souvenais plus <u>de ce titre</u>. ◻ ....

3. Les fabliaux <u>nous</u> montrent <u>les défauts humains</u>. ◻ ....

3 **Précise si les mots soulignés sont sujet, attribut du sujet ou COD.** ...... / 2 points

1. Ainsi s'achève <u>ce fabliau</u>. ◻ ....

2. Je <u>l'</u>avais déjà lu. ◻ ....

3. Lire demeure <u>mon occupation préférée</u>. ◻ ....

4. Ce fabliau s'appelle « <u>Estula</u> ». ◻ ....

4 **Indique si les compléments soulignés sont CC, COI ou CA.** ...... / 4 points

	CC	COI	CA
1. Ce vilain est redouté <u>de ses voisins</u>.	☐	☐	☐
2. Le vilain est sorti <u>de son champ</u>.	☐	☐	☐
3. Les fabliaux étaient contés <u>par les jongleurs</u>.	☐	☐	☐
4. Ils sont sortis <u>par la fenêtre</u>.	☐	☐	☐
5. Molière s'est souvent inspiré <u>des fabliaux</u>.	☐	☐	☐
6. Ce bourgeois était estimé <u>de tous ses voisins</u>.	☐	☐	☐
7. Ils se sont aperçus <u>de leur erreur</u>.	☐	☐	☐
8. Nous étions effrayés <u>de ce bruit inhabituel</u>.	☐	☐	☐

5 **Précise la catégorie des CC soulignés.** ...... / 2 points

1. Un jour, un vilain prit trois perdrix <u>au pied de sa haie</u>. ◻ ....

2. Il sortit de chez lui <u>pour inviter le curé</u>. ◻ ....

3. <u>Par gourmandise</u>, sa femme commença à manger. ◻ ....

4. Puis elle les dévora <u>à la manière d'un ogre</u>. ◻ ....

6 **Précise la classe grammaticale et la catégorie des CC soulignés.** ...... / 2 points

1. Trois aveugles partirent <u>pour Senlis</u>. ◻ ....

2. Ils n'avaient personne <u>pour leur montrer le chemin</u>. ◻ ....

3. Venez <u>avec nous</u> ! ◻ ....

4. On leur propose de l'aide <u>à leur plus grande joie</u>. ◻ ....

7 **Précise la classe grammaticale et la fonction des groupes soulignés.** ...... / 6 points

1. Les fabliaux sont <u>un miroir de la vie</u>. ◻ ....

2. Les jongleurs étaient <u>parfois</u> menacés <u>par les loups</u>. ◻ ....

3. <u>Pour amuser le public</u>, ils devaient <u>lui</u> raconter <u>des histoires drôles</u>. ◻ ....

MON TOTAL .... / 20 points

Je sais reconnaître les fonctions dans le GN

1 **Souligne les adjectifs épithètes et surligne le nom qu'ils complètent.** ...... / 3 points

1. Le curé va au marché sur sa mule grise. | 2. Il est heureux dans cette belle campagne.

3. Il voit un buisson couvert de grosses mûres noires.

4. Les mûres les plus belles sont très hautes. | 5. Le curé se met debout sur la pauvre mule.

2 **Souligne les CDN et surligne le nom qu'ils complètent.** ...... / 2 points

1. Le buisson de mûres se trouve près d'un fossé. | 2. Pour lui ces mûres sont un don de Dieu.

3. Le curé monte sur le dos de la mule. | 4. Il admire le calme de l'animal.

3 **Souligne les CDN dans ces phrases et précise leur classe grammaticale.** ...... / 2 points

1. C'est le moment de rentrer.   ▸ ....

2. La mule du curé est grise, la couleur de la mienne est noire. ▸ ....

3. Les domestiques poussent un cri d'effroi.   ▸ ....

4 **Précise si le complément souligné est CDN ou COI.** ...... / 2 points

1. Les domestiques s'inquiètent <u>de l'absence</u> <u>du curé</u>.   ▸ ....

2. Ils s'approchent <u>du fossé</u>.   ▸ ....

3. Les épines <u>des buissons</u> le blessent.   ▸ ....

5 **Souligne les propositions relatives et surligne l'antécédent.** ...... / 2 points

1. La mule qui a entendu « hue », s'enfuit.

2. Le curé dont la cheville est très enflée ne peut se relever.

3. La mule que la faim tenaille rentre seule au presbytère.

4. Les domestiques qui voient la mule rentrer seule croient que leur maître est mort.

6 **Remplace les propositions relatives par un adjectif épithète ou un CDN.** ...... / 2 points

1. La mule est un animal qui mange de l'herbe.   ▸ ....

2. C'est une promenade qu'il fait chaque semaine.   ▸ ....

3. Il vit des mûres qui étaient très grosses.   ▸ ....

4. C'était un fossé que l'on ne pouvait franchir.   ▸ ....

7 **Remplace les pointillés par le pronom relatif adapté.** ...... / 2 points

1. C'est une idée ...... je n'aurais pas eue. | 2. J'ai lu un fabliau ...... j'ai oublié le titre.

3. Raconte-moi une histoire ..... me fera rire. | 4. Je suis parvenu dans un lieu .... il faisait très sombre.

8 **Relève les expansions des noms soulignés, puis indique leur classe grammaticale et leur fonction.** ...... / 5 points

Le pauvre <u>curé</u> qui avait été sorti du fossé, avoua à ses <u>domestiques</u> affolés son <u>péché</u> de gourmandise. C'était enfin le <u>moment</u> de rentrer.

....

....

....

....

....

14 La phrase interrogative et les mots interrogatifs

Je me souviens

« **Par les saints Dieu que vois-je là ?** L'âme de votre défunt père – quel adroit chanteur ! – soit bénie ! On me l'a vanté maintes fois. Il n'avait pas d'égal en France. **Mais vous-même dès votre enfance n'exerciez-vous pas votre voix ? Êtes-vous habile à musique ?** »

Le Roman de Renart (XIIe-XIIIe siècles), branche 2, adapt. d'A.-M. Schmidt,
© Le Livre de poche jeunesse, 2008.

Observe le texte et réponds aux questions.

Parmi les phrases en vert, laquelle est une interrogation partielle ? → ....

Quel est le type interrogatif des deux autres phrases en vert ? → ....

....

Je retiens

A LES PHRASES INTERROGATIVES *(Rappel 6e)*

- Elles se terminent toujours par un **point d'interrogation** (c'est le seul critère en langage familier). En langage soutenu, le sujet est inversé. En langage courant, on utilise l'expression ***est-ce que… ?***

- Les **interrogations totales** portent sur la phrase entière, on y répond par *oui* ou *non* : *Êtes-vous habile à musique ?*

- Les **interrogations partielles** portent sur un élément inconnu et comportent un mot interrogatif : ***Que*** *vois-je là ?*

B LA CLASSE GRAMMATICALE DES MOTS INTERROGATIFS

- Les **adverbes interrogatifs** : *quand, pourquoi, comment, combien, où…*
  Quand *arriveras-tu ? J'arriverai **à dix heures**.*

- Les **pronoms interrogatifs** : *qui, que, quoi, lequel…* Comme tous les pronoms, ils remplacent un nom et ont une **fonction grammaticale**.
  Que *regardes-tu ? Je regarde **un film**.* → *Que* remplace le COD et est donc COD.

- Le **déterminant interrogatif** : *quel(s), quelle(s).* C'est un déterminant. Dans la réponse, il sera remplacé par un autre déterminant ou une expansion du nom.
  Quelle *direction prenez-vous ? Nous prenons la direction **de Paris**.* → complément du nom

Je m'entraîne

⋆ 1 Relie chaque phrase interrogative à sa catégorie.

1. Où vas-tu ? ▪

2. Seras-tu là demain ? ▪   ▪  INTERROGATION TOTALE

3. Quel livre as-tu choisi ? ▪   ▪ INTERROGATION PARTIELLE

4. Est-ce que tu vas bien ? ▪

2 Identifie le registre de langue, puis réécris dans les deux autres registres.

1. Avez-vous bien voyagé ? → ....
.... / ....

2. Quand est-ce qu'il part ? → ....
.... / ....

3. Comment tu fais ? → ....
.... / ....

3 Souligne les mots interrogatifs et indique leur classe grammaticale.

1. Combien coûte ce livre ? → ....
2. À qui appartient cette clé ? → ....
3. Quelle mouche t'a piqué ? → ....
4. Lequel est arrivé le premier ? → ....

4 Pose la question portant sur le mot souligné et précise la classe grammaticale du mot interrogatif que tu as employé.

1. Il est arrivé à <u>six heures</u>. → ....
2. Il est entré <u>par la fenêtre</u>. → ....
3. Il a ramassé <u>des groseilles</u>. → ....
4. Il part <u>en Angleterre</u>. → ....

5 Souligne le pronom interrogatif et indique sa fonction à l'aide d'une réponse.

Ex. : <u>Qui</u> a cassé la vitre ? → **sujet** : <u>Mon petit frère</u> a cassé la vitre.

1. À qui as-tu envoyé ces fleurs ? → .... : ....
2. Dans quoi est-il tombé ? → .... : ....
3. Qui a-t-il rencontré ? → .... : ....

6 Souligne le(s) mot(s) répondant à la question posée par l'adjectif interrogatif. Indique la classe grammaticale et éventuellement la fonction de ce(s) mot(s).

1. Quelle robe as-tu choisie ? J'ai choisi la robe rouge. → ....
2. Quels sont tes romans préférés ? Ce sont les romans d'amour. → ....
3. À quel siècle fut rédigé *Le Roman de Renart* ? Aux douzième et treizième siècles.
→ ....

7 Même question que dans l'exercice 6, avec les adverbes interrogatifs.

1. Pourquoi aimes-tu tellement ce film ? Je l'aime à cause de l'acteur principal. → ....
....
2. Quand déménages-tu ? Je déménage en septembre. → ....
3. Combien as-tu lu de livres cet été ? J'ai lu cinq livres. → ....

8 Expression écrite

Tu rentres de vacances passées sans tes parents. Imagine les questions qu'ils vont te poser à ton retour et les réponses que tu leur apporteras. Utilise des interrogations totales et partielles et souligne les mots interrogatifs.

15 La phrase négative et les mots exprimant la négation

Je me souviens

« Sire, soyez le bienvenu », fait-[Tybert le chat].
L'autre [Renart] par félonie répond :
« Je ne vous veux, Tybert, saluer. Ne m'approchez pas ! Car par mon chef je vous jouerai de mauvais tours si je le puis ! »

Le Roman de Renart (xiiᵉ-xiiiᵉ siècles), branche 7, adapt. d'A.-M. Schmidt, © Le Livre de poche jeunesse, 2008.

Observe le texte et réponds aux questions.

Souligne deux phrases à la forme négative.

De quels types sont-elles ? → ....

Je retiens

A LA PHRASE NÉGATIVE (Rappel 6ᵉ)

➥ Une phrase est à la forme négative quand elle comporte une **négation**.

Je veux vous saluer. → affirmative • *Je **ne** veux **pas** vous saluer.* → négative

➥ Tous les types de phrase peuvent se mettre à la forme négative.

Ne m'approchez pas ! → injonctive et négative
Ne deviez-vous pas rentrer hier ? → interrogative et négative

B LES MOTS EXPRIMANT LA NÉGATION

Adverbes	***Ne... pas • point***	Négation qui inverse le sens de l'affirmation.
	Ne... plus	Comporte une idée de temps.
	Ne... jamais	Négation totale.
	Ne... guère • Ne...	Négations partielles.
	Ne... que	A une valeur restrictive, n'est pas vraiment une négation.
	Exceptions : *non • ne*	*Non* s'utilise souvent seul pour répondre à une interrogation totale. *Es-tu content ? – **Non**.* *Ne* peut s'utiliser seul à la place de *ne... pas* dans un registre soutenu. *Je **ne** vous veux saluer.*
Conjonctions de coordination	***Ni* ou *ni... ni...***	Remplace *et* et *ou* dans la phrase négative. *J'aime marcher, courir et danser.* → *Je n'aime **ni** marcher, **ni** courir, **ni** danser.*
Déterminants ou pronoms indéfinis	***Aucun(e)*** et ***nul(le)*** utilisés comme déterminants ou pronoms	Ont un sens négatif et s'utilisent toujours associés à *ne*. *Il n'a **aucune** chance dans cette compétition.* → déterminant indéfini
	Rien et ***personne*** (pronoms)	*Aucun n'est arrivé à l'heure.* → pronom indéfini

Je m'entraîne

1 **Mets ces phrases à la forme négative et précise leur type.**

1. Nous viendrons demain. → ....

2. Ouvrez cette fenêtre ! → ....

3. Sont-ils sûrs d'arriver à temps ? → ....

2 **Mets ces phrases à la forme négative avec un adverbe choisi à l'aide des indications.**

1. Renart trompe Tybert. NÉGATION SIMPLE → ....

2. Renart salue Tybert. AUTREFOIS OUI, MAINTENANT NON → ....

3. J'ai été étonné de son attitude. NI AUTREFOIS, NI MAINTENANT → ....

....

3 **Remplace chaque phrase affirmative par une phrase négative de même sens.**

Ex. : Renart cherche seulement à tromper Tybert. → Renart ne cherche qu'à tromper Tybert.

1. Le matin, je prends juste du café. → ....

2. Tu as tort de manger uniquement des aliments sucrés. → ....

....

3. Il veut juste te saluer. → ....

4 **Mets ces phrases à la forme négative en utilisant la conjonction *ni*.**

1. J'ai apporté une balle et des raquettes. → ....

2. L'an prochain, je ferai du foot ou du basket. → ....

3. Elle est grande, mince, belle et souriante. → ....

5 **Mets à la forme négative en utilisant un déterminant ou un pronom indéfini.**

1. Je vois quelque chose à l'horizon. → ....

2. Nous avons une chance d'arriver à l'heure. → ....

3. Il y a quelqu'un derrière la porte. → ....

6 **Réponds à ces interrogations totales par une phrase négative.**

Ex. : As-tu encore un peu de temps libre ? → Non, je n'ai plus de temps libre.

1. Est-ce que vous avez rencontré quelqu'un ? → ....

2. T'ennuies-tu quelquefois ? → ....

3. Ont-ils besoin de quelque chose ? → ....

7 **Transforme ces phrases en phrases négatives du type indiqué.**

1. Il a oublié le pain. DÉCLARATIVE → ....

2. Il traverse la rue sans faire attention. INJONCTIVE → ....

3. Il a tout vu. INTERROGATIVE, DEUX POSSIBILITÉS → ....

8 Expression écrite

Rédige un court paragraphe uniquement constitué de phrases négatives, en utilisant des négations variées. Choisis parmi les thèmes suivants : *je n'ai jamais vu... • je n'ai jamais fait... • je ne voudrais jamais...*

16 Phrase simple et phrase complexe

Rappel 6ᵉ

Je me souviens

> Cependant la saison s'avance. Le loup et le goupil cheminent. Renart va devant. L'autre suit. C'est aux environs de Noël où l'on met les bacons au saloir. Le ciel resplendit d'étoiles. Un vivier luit, si bien gelé qu'on y pourrait donner un bal.
>
> *Le Roman de Renart* (xiiᵉ-xiiiᵉ siècles), branche 6, adapt. d'A.-M. Schmidt,
> © Le Livre de poche jeunesse, 2008.

Observe le texte et réponds aux questions.

Combien y a-t-il de phrases dans ce passage ? ....

À quoi reconnaît-on une phrase ? ....
....

Combien y a-t-il de phrases simples ? ....

À quoi les reconnais-tu ? ....

Je retiens

A LA PHRASE

- Une phrase commence par une **majuscule** et se termine par une **ponctuation forte**.
- La phrase **verbale** comporte un ou plusieurs **verbes conjugués**.
- Une **proposition** est l'ensemble des mots qui s'organisent autour d'un verbe conjugué. Une **phrase** comporte donc **une ou plusieurs propositions**.
- La phrase **non verbale** ne comporte **aucun verbe conjugué**. Elle s'organise autour d'un nom, d'un adjectif, d'un adverbe, et se rencontre surtout dans les dialogues et les titres.
  Le loup et le goupil cheminent. → phrase verbale • *Plus vite !* → phrase non verbale

B LA PHRASE SIMPLE

- Une phrase simple comporte **un seul verbe conjugué**.
- Elle est constituée d'**une seule proposition** appelée **indépendante**. *Renart va devant.*

  REMARQUE Une phrase non verbale est toujours une phrase simple.

C LA PHRASE COMPLEXE

- Une phrase complexe comporte **au moins deux verbes conjugués**.
- Elle est donc constituée d'**au moins deux propositions**.
  [*C'est aux environs de Noël*] [*où l'on met les bacons au saloir*].
       1ʳᵉ proposition   2ᵉ proposition

Je m'entraîne

＊1 **Indique si les phrases de ce dialogue sont verbales ou non verbales.**

– Paul, où as-tu posé les clés ? → ....

– Sur la table ! → ....

– Merci du renseignement. → ....

– Je suis désolé de t'avoir obligé à chercher. → ....

2 **Transforme ces phrases verbales en phrases non verbales ou inversement.**

PHRASES VERBALES	PHRASES NON VERBALES
Un violent orage a éclaté cette nuit.	
	Vivement le week-end !
Méfiez-vous, ce modèle est souvent imité.	

3 **Indique si les phrases suivantes sont simples ou complexes.**
Puis délimite les propositions dans les phrases complexes à l'aide de crochets.

	SIMPLES	COMPLEXES
1. Les paysans ont percé la glace afin de faire boire le bétail.	☐	☐
2. Il affirme que le seau sert à la pêche.	☐	☐
3. Ysengrin veut pêcher avec le seau attaché à sa queue.	☐	☐
4. Renart promet que les poissons vont venir.	☐	☐

4 **Transforme ces couples de phrases simples en phrases complexes en utilisant une proposition relative** *(voir fiche 12).*

1. J'ai croisé un petit garçon. Il semblait perdu. → ....

2. Je t'ai apporté un livre. Je t'avais parlé de ce livre la semaine dernière. → ....
....

3. J'ai oublié deux stylos. Je les ai laissés sur mon bureau. → ....
....

5 **Transforme ces phrases complexes en deux phrases simples.**

1. Je sors du collège que je fréquente depuis deux ans. → ....
....

2. Je vais te montrer l'endroit où j'ai passé mes meilleures vacances. → ....
....

3. Je t'apporte le DVD de ce film dont je t'ai parlé hier. → ....
....

6 **Transforme ces suites de phrases simples en une phrase complexe.**
Ex.: Ysengrin sur la glace attend. Le seau se remplit de glaçons. → Ysengrin attend sur la glace
pendant que le seau se remplit de glaçons.

1. L'eau du pertuis [= trou] commence à prendre. La glace autour du seau se ferme. La queue en
la glace se scelle.→ ....
....

2. Le loup s'efforce à se dresser pour attirer le seau vers lui. De cent façons il s'y emploie. En vain.
→ ....

3. L'angoisse le poignarde. À Renart il lance un appel. Il ne veut plus rester ici. → ....
....

Le Roman de Renart (XIIe-XIIIe siècles), branche 6, adapt. d'A.-M. Schmidt,
© Le Livre de poche jeunesse, 2008.

7 Expression écrite

17 Coordination et juxtaposition

Je me souviens

Renart perce doucement le chaume, se coule par le trou, dérobe les trois bacons et les emporte. Il les emporte en sa demeure. Et les découpe par morceaux. Et les cache dans la paillasse.

Le Roman de Renart (XIIe-XIIIe siècles), branche 5, adapt. d'A.-M. Schmidt,
© Le Livre de poche jeunesse, 2008.

Observe le texte et réponds aux questions.

Combien trouves-tu de phrases simples ? → ....

Combien y a-t-il de propositions dans la phrase complexe ? → ....

Par quoi sont-elles séparées (ponctuation, mot invariable) ? → ....

Je retiens

A LES PROPOSITIONS INDÉPENDANTES

◤ Une proposition est indépendante quand elle ne dépend pas d'une autre proposition.

◤ Une proposition indépendante peut toujours constituer une phrase simple.

◤ Dans une phrase complexe, plusieurs propositions indépendantes peuvent se succéder.
Renart perce le chaume, | *se coule par le trou* | *et dérobe les bacons.*

B LES PROPOSITIONS INDÉPENDANTES JUXTAPOSÉES

◤ Elles sont simplement séparées par un signe de ponctuation faible : virgule (,), point-virgule (;) ou deux-points (:) :
La porte était ouverte : je suis entrée.

C LES PROPOSITIONS INDÉPENDANTES COORDONNÉES

◤ Elles sont reliées par une conjonction de coordination ou un adverbe de liaison.

◤ Les **conjonctions de coordination** sont : *mais • ou • et • donc • or • ni • car* (voir fiche 5).

◤ Les principaux **adverbes de liaison** sont : *pourtant • puis • alors • en effet • ensuite…*

D LES AUTRES PROPOSITIONS COORDONNÉES

◤ On peut coordonner d'autres types de propositions (voir fiche 18).
J'ai trouvé la maison dont je rêvais depuis longtemps et où je passerai toutes mes vacances. → Les deux propositions relatives sont coordonnées.

Je m'entraîne

• 1 **Remplace les pointillés par l'une des conjonctions de coordination suivantes :** *mais • donc • car*. **Puis par l'un des adverbes suivants :** *en effet • c'est pourquoi • pourtant*.

1. Ma voiture ne démarre pas .... j'ai oublié d'éteindre les phares.

2. Le jour s'est levé .... Ysengrin ne voit pas ses bacons.

3. Il se plaint toujours .... je ne l'écoute plus.

2 Supprime la juxtaposition en utilisant une conjonction de coordination.

1. Il a joué tout l'après-midi, il est rentré très fatigué. → ....

....

2. Je ne sors pas : il pleut beaucoup trop. → ....

....

3. Le gâteau est cuit : je peux le sortir du four. → ....

....

4. J'ai attendu une heure, Pierre n'est pas venu. → ....

....

3 Même question que dans l'exercice 2, avec un adverbe de liaison.

1. Renart s'amuse beaucoup, sa ruse a réussi. → ....

....

2. Nous avons marché pendant deux heures, nous sommes rentrés goûter vers seize heures. →

....

3. Il n'a pas été prévenu de l'annulation de la réunion, il s'est dérangé inutilement. → ....

....

4. Il fait un temps splendide, je n'ai pas le droit de sortir. → ....

....

4 Isole les propositions indépendantes et indique si elles sont juxtaposées, coordonnées ou si ce sont des phrases simples.

Ysengrin au matin se lève. Le ciel luit à travers le toit, mais il ne voit plus trace de ses bacons

....

et il hurle. Ensuite Renart arrive, il semble étonné. Son oncle lui raconte son malheur : ses

....

bacons ont disparu.   *Le Roman de Renart* (XIIe-XIIIe siècles), branche 5, adapt. d'A.-M. Schmidt,
© Le Livre de poche jeunesse, 2008.

....

5 Remplace les groupes soulignés par une indépendante coordonnée.
Ex. : J'ai réussi grâce à toi. → J'ai réussi car tu m'as aidé.

1. J'ai mis en marche le ventilateur, en raison des fortes chaleurs. → ....

....

2. Il a regardé la télévision au point de se faire mal aux yeux. → ....

....

3. Il n'est pas venu à cause de ses parents. → ....

....

4. Il est arrivé à l'heure à notre grand étonnement. → ....

....

6 Expression écrite

**Ysengrin s'étonne de voir Renart si bien nourri et il le soupçonne d'être
à l'origine du vol. Il décide de s'en assurer et de récupérer ses bacons.
Imagine comment il va s'y prendre.
Utilise surtout des propositions indépendantes coordonnées ou juxtaposées.**

18 La subordination

Je me souviens

« Renart, […] tu te prétends mon bon neveu. Mais tu ne m'aimais que par ruse quand je t'aimais de tout mon cœur. Je vais te mettre en si haut lieu, donjon si haut, si haut étage que nul […] ne pourra t'y causer d'ennuis, ni toi d'outrages à quiconque. Pour me libérer de mes dettes je te doterai d'un castel où tu ne craindras plus machine, baron, prince ni roi. »

Le Roman de Renart (xiie-xiiie siècles), branche 8, adapt. d'A.-M. Schmidt,
© Le Livre de poche jeunesse, 2008.

Observe le texte et réponds aux questions.

Les propositions en vert ont-elles un sens indépendamment du contexte ? → ....

Pourrait-on supprimer ces propositions ? → ....

Cite le mot que complète la dernière proposition, puis indique la classe grammaticale et la fonction de celle-ci. → ....

Je retiens

A LA PROPOSITION PRINCIPALE

➤ La proposition principale est une proposition **complétée par une autre proposition** qui dépend d'elle. Elle a souvent un sens à elle seule.

B LES PROPOSITIONS SUBORDONNÉES

➤ Ce sont des propositions qui **dépendent d'une autre proposition**. Elles n'ont pas de sens sans la proposition principale dont elles dépendent.

➤ Elles sont toujours introduites par un mot appelé **subordonnant** et ont une fonction.
*Pour me libérer de mes dettes je te doterai d'un castel **où tu ne craindras plus machine, baron, ni prince**.* → Fonction : complément de l'antécédent *castel*.

C LES PROPOSITIONS SUBORDONNÉES RELATIVES *(voir fiche 12)*

➤ Leur subordonnant est le **pronom relatif** et elles ont une **fonction à l'intérieur d'un GN**.

D LES PROPOSITIONS SUBORDONNÉES CONJONCTIVES INTRODUITES PAR *QUE*

➤ Leur subordonnant est la **conjonction de subordination** *que*.
➤ Elles ont une **fonction essentielle** (très souvent COD).
➤ La proposition principale dont elles dépendent n'a pas de sens à elle seule :
***Nous voyons** qu'Ysengrin veut punir Renart.*

E LES PROPOSITIONS SUBORDONNÉES CONJONCTIVES COMPLÉMENTS CIRCONSTANCIELS

➤ Leur subordonnant est aussi une **conjonction de subordination** : *quand • lorsque • pour que • afin que • parce que • puisque • de sorte que…*

➤ Elles ont les mêmes fonctions qu'un **groupe prépositionnel complément circonstanciel**.

REMARQUE On peut coordonner des subordonnées de la **même catégorie** : deux subordonnées relatives, deux conjonctives introduite par *que* ou deux conjonctives compléments circonstanciels. Dans ce dernier cas, pour éviter une répétition, la deuxième conjonction est remplacée par *que* : ***Quand** il pleut et **qu'**il fait froid, je ne sors pas.*

1 Sépare les propositions et précise leur classe exacte : principale (PP), subordonnée (PS), indépendante (PI). ⚠ Une des principales est en deux parties.

Ex. : J'ai utilisé le crayon | qui était sur le bureau. → PP | PS

1. J'espère que Renart sera puni. → ....

2. Ysengrin est furieux, il veut dévorer Renart. → ....

3. La maison où nous étions était juste au bord de la plage. → ....

2 Dans les phrases suivantes, souligne les subordonnées et surligne le subordonnant.

1. J'attends avec impatience qu'ils reviennent.   2. J'ai bien aimé le livre que tu m'as offert.

3. Dès qu'il voit Renart, Ysengrin est en colère.   4. Puisque tu es là, aide-moi.

3 Relie les subordonnées soulignées à leur nature.

1. Je n'ai pas reçu la lettre que tu m'as envoyée.

2. J'espère que tu te rétabliras vite.

3. Je t'apporte un gâteau que j'ai fait ce matin.

4. Ysengrin a décidé qu'il dévorerait Renart.

RELATIVE

CONJONCTIVE

4 Remplace les GN CC de temps ou de cause par une subordonnée de même sens.

Ex. : Par beau temps, nous déjeunons sur la terrasse. → Quand il fait beau…

1. Rentrons avant la pluie. → ....

2. En hiver, les jours sont très courts. → ....

3. Après une petite sieste, nous prendrons la route. → ....

4. Grâce à un temps exceptionnel, nous avons eu des fruits délicieux. → ....
....

5. Grâce à ses ruses, Renart sort souvent vainqueur. → ....

6. J'ai cassé trois verres par maladresse. → ....

5 Relève toutes les propositions du texte : mets entre crochets les indépendantes, souligne les principales, surligne les relatives et encadre les conjonctives.

Renart vient d'apercevoir un vilain qui porte un bacon sur l'épaule. Il propose alors de voler le bacon et de le rapporter à son oncle qui pourra en garder les deux tiers. Renart dépasse le vilain et vole le bacon. Le vilain tente en vain de le frapper. Comme le bacon pèse sur ses épaules, Renart décide de le poser à terre pour courir plus vite. Ysengrin, qui les suivait, attrape le bacon et va se cacher. Il dévore un bon morceau, cache le reste sous un tas de feuilles et garde le lien du bacon. Quand Renart, que le vilain n'a pu capturer, arrive, Ysengrin lui offre généreusement le bout de corde !

D'après *Le Roman de Renart* (XIIᵉ-XIIIᵉ siècles), branche 8, adapt. d'A.-M. Schmidt, © Le Livre de poche jeunesse, 2008.

6 Expression écrite

Finalement c'est Ysengrin qui trompe Renart ! À ton tour, imagine une courte histoire d'animaux où celui qui perd habituellement l'emporte finalement (tu peux t'inspirer de titres de fables de La Fontaine).

Les paroles rapportées au discours direct

Je me souviens

[Renart fait le mort devant une charrette qui transporte du poisson.] Le premier à l'apercevoir l'examine avant de s'écrier à l'adresse de son compagnon : « Regarde, c'est un goupil ou un chien. » Et l'autre, qui l'a vu à son tour, de répondre : « C'est un goupil, va le prendre, allez ! »

Observe le texte et réponds aux questions.

Surligne les signes de ponctuation qui te permettent de voir qu'il s'agit de paroles.

Quels verbes les paroles annoncent-elles ? → ....

À quel mode les verbes en vert sont-ils ? → ....

Je retiens

Le **discours direct** permet de rapporter des paroles telles qu'elles ont été prononcées.

A LA PONCTUATION

- Les **guillemets**, précédés d'un deux-points, **encadrent** les paroles.
- Les **tirets** permettent d'indiquer un **changement d'interlocuteur, de personnage**.

B LES VERBES DE PAROLE

- Les verbes de parole indiquent **qui parle** et apportent parfois des précisions sur le ton utilisé.
- Ils peuvent précéder le dialogue, l'interrompre ou le suivre. Dans ces deux derniers cas, ils sont encadrés de virgules, leur sujet est inversé. Ce type de proposition s'appelle une **proposition incise** : « *Ne fais pas de bruit, **chuchota-t-elle**, bébé dort.* »

REMARQUE Si tu rédiges un dialogue, n'utilise pas toujours le même verbe de parole !

C LES MARQUES DE LA LANGUE ORALE

- On utilise des **verbes** au **présent**, au **passé composé** et au **futur**, souvent aux première et deuxième personnes.
- L'**impératif**, rare dans les récits, apparaît assez souvent dans les dialogues.
- On utilise aussi les interjections, les exclamations, les apostrophes, le niveau de langue familier, ainsi que les phrases non verbales.
  « ***Allez ! Fais*** *attention, maudit gars,* ***qu'il ne t'échappe pas !*** »

Je m'entraîne

 1 **Mets entre crochets le passage au discours direct et souligne le verbe de parole.**

Ils évaluent la peau de son dos puis de sa gorge : selon l'un, elle vaut trois sous, mais l'autre renchérit : « Dieu garde ! À quatre sous, elle serait bon marché. Nous ne sommes pas trop chargés, mettons-la sur notre charrette. Regarde donc comme sa gorge est blanche et sans taches. »

2 **Relève dans le discours direct de l'exercice 1 les marques de la langue orale.**

1. Verbes à l'impératif → ....

2. Exclamation → ....

3 **Rétablis la ponctuation adaptée au discours direct.**

Renart dévore les poissons et se dit ..... je vais faire une provision d'anguilles, je les transporterai autour de mon cou. ..... Ensuite il saute de la charrette et crie aux marchands ..... je vous laisse ce qui reste. .....

4 **Méli-mélo. Voici une liste de verbes de parole : indique leur numéro à côté de la bonne situation. ⚠ Pense à les réutiliser dans une expression écrite.**

1. déclarer • **2.** avouer • **3.** remarquer • **4.** constater • **5.** murmurer • **6.** rugir • **7.** répéter • **8.** chuchoter • **9.** crier • **10.** rétorquer • **11.** proposer • **12.** balbutier • **13.** ajouter • **14.** répliquer • **15.** noter • **16.** admettre • **17.** répondre • **18.** s'exclamer • **19.** insister • **20.** reconnaître • **21.** reprendre • **22.** suggérer • **23.** marmonner • **24.** demander • **25.** acquiescer

a) dire avec plus ou moins d'insistance → ....

b) donner une réponse → ....

c) dire à voix basse ou hésitante → ....

d) dire très fort (sous le coup d'une émotion) → ....

e) avancer une idée nouvelle ou une question → ....

f) dire après avoir refusé → ....

5 **Remplace les pointillés par un verbe de paroles (choisi dans la liste précédente) et son sujet. ⚠ N'oublie pas de faire l'inversion du sujet dans les propositions incises.**

1. .... : « N'as-tu pas honte d'être encore en retard ? »

2. « Marche sur la pointe des pieds, il est tard », ...

3. « Pourquoi ne ferions-nous pas une promenade ? » ....

4. « Il n'est pas question que je vienne ! » ....

6 **Réécris ce passage en rapportant les paroles au discours direct.**

Le premier marchand dit à son compagnon que la peau de ce goupil leur rapportera au moins trois sous. Son compagnon répond qu'à son avis elle en vaut bien quatre. Le premier demande à l'autre ce qu'ils feront avec cet argent, il lui répond qu'ils pourraient acheter une charrette plus grande. L'homme n'est pas d'accord et dit qu'ils devraient plutôt s'offrir un très bon repas dans une auberge.

....

....

....

....

....

....

7 # Expression écrite

Imagine le dialogue entre Renart et sa famille quand il rentre chez lui avec les anguilles. N'oublie pas la ponctuation et les verbes de parole !

20

La subordonnée interrogative indirecte

Je me souviens

1. « Mais vous-même dès votre enfance n'exerciez-vous point votre voix ? Êtes-vous habile à musique ? »

2. Renart demanda à Tiécelin s'il n'exerçait pas sa voix depuis sa tendre enfance et s'il était habile à musique.

Y a-t-il une différence de sens entre les deux phrases ? → ....

Quelles différences observes-tu ? → ....

....

....

Je retiens

A LA SUBORDONNÉE INTERROGATIVE INDIRECTE

- La subordonnée interrogative indirecte est une proposition subordonnée qui **intègre une interrogation à un récit**.
- Elle ne porte plus les marques de l'interrogation (point d'interrogation, inversion du sujet, *est-ce que*) et n'est pas encadrée de guillemets.
- On la rencontre **après des verbes** tels que *demander*, *dire*, *savoir* ou *ignorer*. Elle est **COD** de ces verbes : *J'ignore pourquoi il a agi ainsi.* → COD du verbe *ignorer*

B LES SUBORDONNANTS

ADVERBES	PRONOMS	ADJECTIFS
pourquoi • comment • où • si…	*qui • que • quoi • lequel…*	*quel(s) • quelle(s)*

C LE TEMPS ET LA PERSONNE DES VERBES

- Si le **récit** est au **passé**, les verbes des propositions interrogatives indirectes sont à l'imparfait, au plus-que-parfait ou au conditionnel.
- Si le **récit** est au **présent**, les verbes sont au présent, au passé composé ou au futur.
- Les pronoms personnels et les déterminants possessifs s'accordent aussi à la personne utilisée dans le récit :
  *Il demanda à sa mère : « Où **sont** mes chaussures ? Je ne les trouve plus. »*
  *→ Il demanda à sa mère où **étaient** ses chaussures et dit qu'il ne les trouvait plus.*

Je m'entraîne

 **1** **Souligne les subordonnées interrogatives indirectes.**

1. Renart demande au corbeau pourquoi il ne chante pas plus souvent.

2. Je me demande si ce corbeau n'est pas un peu naïf.

3. J'ignore ce qu'il croit obtenir de Renart.

4. Dis-moi quel est l'animal le plus rusé.

2 **Remplace les pointillés par le mot interrogatif adapté puis précise sa classe grammaticale.**

1. Je ne sais pas .... se trouve cette rue. → ....

2. Je lui ai demandé .... heure il était. → ....

3. Je lui ai dit .... nous allions faire. → ....

4. Nous nous demandons .... coûte cette maison. → ....

3 **Mets le verbe de parole au passé composé puis fais les transformations utiles.**

Ex.: Il me demande si je vais bien. → Il m'a demandé si j'allais bien.

1. Tu ne sais pas ce que je fais. → ....

2. Il demande si tu viens. → ....

3. Ma mère demande quelle robe tu as mise. → ....

4. Elle ne sait pas où aller. → ....

4 **Transforme les phrases interrogatives partielles en interrogatives indirectes.**

1. Le policier demanda aux promeneurs: « Où allez-vous ? » → ....

....

2. Les marchands se demandent: « Combien le goupil va-t-il nous rapporter ? » → ....

....

3. « Quand es-tu rentré de vacances ? » m'a demandé Julie. → ....

....

4. Ma sœur m'a demandé: « Qui ira demander la permission de sortir ? » → ....

....

5 **Même exercice que l'exercice 4, avec des interrogations totales.**

1. Le corbeau demande à Renart: « Aimes-tu vraiment ma voix ? » → ....

....

2. Renart demanda à Tiécelin: « Veux-tu partager le fromage avec moi ? » → ....

....

3. Mes amis m'ont demandé: « Est-ce que tu as eu du beau temps ? » → ....

....

4. « Où iras-tu faire du ski ? » Tu ne nous l'as pas dit. → ....

....

6 **Voici trois phrases interrogatives, transforme-les en interrogatives indirectes que tu intègreras dans un contexte.** *Ex.: « Où vas-tu ? » → Ma sœur m'a demandé où j'allais.*

1. « Que pensez-vous de ce projet ? » → ....

....

2. « Pourquoi est-il venu si vite ? » → ....

3. « Comment ferez-vous ? » → ....

7 Expression écrite

Il est toujours agréable de recevoir des compliments, c'est ainsi que Tiécelin a perdu son fromage ! Imagine une petite histoire où un personnage va obtenir ce qu'il veut en flattant son interlocuteur.

Comment distinguer les subordonnées relatives, interrogatives et conjonctives

Les subordonnants homonymes provoquent souvent des confusions.

Quels sont les subordonnants homonymes ?

- *Qui* est pronom relatif ou interrogatif.
- *Que* est pronom relatif ou conjonction de subordination.
- *Ce que* est pronom interrogatif ou pronom démonstratif + pronom relatif.

Comment reconnaître les subordonnées relatives ?

- Les subordonnées relatives sont placées **après un nom ou un pronom**.
- Elles apportent des précisions sur ce mot et ne complètent pas un verbe.
- On peut, en général, les supprimer facilement ou, parfois, les remplacer par une autre expansion : *L'animal* qui a un pelage roux *[= au pelage roux]* est Renart.

Comment reconnaître les subordonnées interrogatives indirectes ?

- Les subordonnées interrogatives indirectes sont placées après un verbe signifiant demander, savoir, dire.
- Si on les supprime, le verbe n'a plus de COD et la phrase n'a plus de sens.
- On peut les transformer en phrases interrogatives.
    Dis-moi qui est cet animal. → « *Qui est cet animal ? »*

Comment reconnaître les subordonnées conjonctives ?

- Les subordonnées conjonctives sont aussi placées **après un verbe**.
- Elles ont une fonction essentielle (souvent COD) : on ne peut pas les supprimer.
    Je pense qu'il s'agit de Renart.
- On peut parfois les remplacer par un GN ou un infinitif COD.

À retenir

Les relatives ayant *ce* **pour antécédent ne peuvent pas être supprimées. Pour les différencier des interrogatives indirectes, il faut s'attacher au verbe introducteur et éventuellement à leur place (la relative peut être au début de la phrase).**
    Répète-moi **ce qu'il t'a dit**. → interrogative indirecte (« *Que t'a-t-il dit ? » Répète-le moi.*)
    Il a enfin accompli **ce que tout le monde attendait de lui**. → relative (verbe *accomplir*)
    Ce que je t'avais annoncé *s'est produit*. → relative (en tête de phrase)

Applique la méthode

1 Indique si les subordonnées soulignées sont relatives ou interrogatives indirectes.

1. J'ai reconnu l'homme qui est entré. •
2. Sais-tu qui est entré ? •
3. As-tu vu le nouveau film qui est à l'affiche ? •
4. Il m'a dit qui était son acteur préféré. •
5. Nous ne savons pas qui sera élu délégué. •

- **RELATIVE**

- **INTERROGATIVE INDIRECTE**

2   **Même exercice avec les relatives et les conjonctives.**

1. Je pense qu'il a raison.   ■
2. Le rôle qu'il a joué lui allait très bien.   ■   ■ **RELATIVE**
3. Je ne veux pas qu'il oublie.   ■
4. Je ne crois pas que je viendrai.   ■   ■ **CONJONCTIVE**

3   **Souligne les subordonnées introduites par *qui* ou *que* et indique leur classe et leur fonction.**

1. Voici un texte qui date du Moyen Âge. → ....

....

2. Je sais que ce texte est très ancien. → ....

3. Nous ne savons pas qui a écrit *Le Roman de Renart*. → ....

....

4. Le livre que j'ai fini hier était passionnant. → ....

....

4   **Identifie les subordonnées commençant par *ce que* et justifie ta réponse.**
Ex.: Il me demande ce que je pense. → interrogative (verbe demander*)*

1. Il n'a pas fait ce qu'il avait promis. → ....
2. Demande-lui ce qu'il veut. → ....
3. Ce que je craignais est arrivé. → ....
4. Il ne sait pas ce qu'il dit. → ....

5   **Remplace les relatives soulignées par une expansion de même sens.**

1. J'ai des lunettes qui ne se cassent pas. → ....
2. J'apprécie beaucoup la maison que possède ma grand-mère. → ....
3. J'ai un nouveau sac qui se porte sur le dos. → ....

6   **Remplace les conjonctives introduites par *que* par un GN ou un infinitif de même sens.**

1. J'espère que j'arriverai vite. → ....
2. J'attends qu'un miracle se produise. → ....
3. Nous voulons que les résultats se voient. → ....

7   **Remplace chaque interrogation indirecte par une interrogation directe.**

1. Dis-moi ce qui s'est passé. → ....
2. Il se demande où nous allons. → ....
3. Il ne sait pas si c'est bien. → ....
4. Il ne m'a pas expliqué comment il avait fait. → ....

8   **Complète ces débuts de phrases en respectant les consignes.**

1. Il a acheté un portable   **RELATIVE INTRODUITE PAR *QUI* ▸**
2. Mon père m'a affirmé   **CONJONCTIVE INTRODUITE PAR *QUE* ▸** ....
3. Ma sœur m'a demandé   **INTERROGATIVE INDIRECTE INTRODUITE PAR *QUI* + RELATIVE INTRODUITE PAR *QUE* ▸** ....
4. J'avais oublié   **CONJONCTIVE INTRODUITE PAR *QUE* + RELATIVE INTRODUITE PAR *QUI* ▸** ....

....

Je sais analyser une phrase

1 **Précise si ces interrogations sont totales ou partielles.** ...... / 2 points

	TOTALES	PARTIELLES
1. Renart est-il toujours vainqueur ?	☐	☐
2. Comment s'appelle son oncle ?	☐	☐
3. Qui a écrit *Le Roman de Renart* ?	☐	☐
4. Est-ce que Renart est marié ?	☐	☐

2 **Souligne les mots interrogatifs et indique leur classe grammaticale.** ...... / 3 points

1. Pourquoi Renart prive-t-il Ysengrin de ses bacons ? ▶ ....

2. Comment Renart a-t-il dérobé le fromage de Tiécelin ? ▶ ....

3. Où vivent les goupils ? ▶ ....

4. Qui connaît bien Renart ? ▶ ....

5. Quel est le nom de sa femme ? ▶ ....

6. Qu'arriva-t-il à la queue d'Ysengrin ? ▶ ....

3 **Pose la question portant sur les mots soulignés.** ...... / 2 points

1. Tiécelin est perché sur un hêtre. ▶ ....

2. Tiécelin a vu cent fromages. ▶ ....

3. Il en a volé un. ▶ ....

4. La fermière n'a pas pu le récupérer. ▶ ....

4 **Mets les phrases à la forme négative en précisant leur type.** ...... / 4 points

1. Renart voit Tiécelin. ▶ ....

2. As-tu la même voix que ton père ? ▶ ....

3. Chante cette chanson. ▶ ....

4. Pourquoi chantes-tu ? ▶ ....

5 **Souligne les négations et indique leur classe grammaticale.** ...... / 4 points

1. Personne n'a une aussi jolie voix que vous. ▶ ....

2. Renart ne se contente pas du fromage. ▶ ....

3. Je n'aime ni le pain ni le fromage. ▶ ....

4. Aucun animal n'est plus rusé que Renart. ▶ ....

6 **Précise si ces phrases sont simples ou complexes.** ...... / 2 points

	SIMPLES	COMPLEXES
1. Renart se prétend malade et demande de l'aide.	☐	☐
2. Il saute sur Tiécelin mais n'attrape que quatre plumes.	☐	☐
3. Le corbeau est heureux d'avoir sauvé sa vie.	☐	☐
4. Renart se console avec le fromage.	☐	☐

7 **Sépare les propositions et indique si elles sont juxtaposées ou coordonnées.** ...... / 3 points

1. Renart n'atteint pas son but : c'est assez rare. ▶ ....

2. Il mange le fromage mais le trouve trop petit. ▶ ....

3. Le fromage est vite mangé alors Renart s'en va. ▶ ....

8 **Mets les propositions entre crochets, nomme-les et surligne les subordonnants.**

...... / 4 points

1. Le loup et le goupil se promènent un jour où il fait très froid.

....

2. Renart marche devant et ils arrivent près d'un lac qui est gelé.

....

3. Au milieu on a percé un trou pour que les animaux puissent boire.

....

4. Renart voit qu'un seau surnage dans le trou.

....

9 **Souligne les subordonnées et classe-les dans la bonne colonne.** ...... / 2 points

	RELATIVE	CONJONCTIVE
1. Renart affirme que le seau sert à pêcher les anguilles.	☐	☐
2. Ysengrin qui veut pêcher prend le seau.	☐	☐
3. Il demande que Renart attache le seau à sa queue.	☐	☐
4. Il s'assied sur la glace qui se resserre vite autour de la queue.	☐	☐

10 **Retrouve les paroles rapportées au discours direct et rétablis la ponctuation.**

...... / 2 points

Ysengrin appelle Renart   viens m'aider à remonter le seau nous avons assez de poissons.
Renart lui répond   celui qui veut trop perd tout.

11 **Remplace les pointillés par un des verbes de parole proposés.**
Supplier • s'étonner • se dire • ricaner. ...... / 2 points

1. « Je ne peux plus retirer le seau », ... Ysengrin.

2. Il .... : « viens m'aider ! »

3. « Quelle bonne idée j'ai eue », ... Renart.

4. Il .... : « je vais rentrer tranquillement chez moi ! »

12 **Récris ce passage en rapportant les paroles au discours direct.** ...... / 4 points

L'homme qui habite à côté du lac demande à ses valets qu'ils sellent son cheval et aillent
chercher la meute de chiens. Quand il arrive près du lac et voit le loup, il dit à ses valets qu'ils
n'ont pas à chercher longtemps pour trouver une belle proie.

....

....

....

13 **Souligne les interrogatives indirectes.** ⚠ **Il n'y en a pas dans chaque phrase.**

...... / 2 points

1. Ysengrin se demande pourquoi il ne peut plus bouger. • 2. Il demande à Renart ce qui se passe. •
3. Renart répond qu'il n'en sait rien. • 4. Ysengrin se demande s'il se sortira de cette situation.

14 **Transforme ces interrogations directes en interrogations indirectes.** ...... / 4 points

1. L'homme se demande : « D'où ce loup vient-il ? » ▸ ....

2. Il demanda à ses valets : « Est-il là depuis longtemps ? » ▸ ....

....

21

Les temps simples de l'indicatif (Rap

Je me souviens

À la fin de l'après-midi du 29 septembre 1759, le ciel noircit tout à coup dans la région de l'archipel Juan Fernandez, à six cents kilomètres environ au large des côtes du Chili. L'équipage de *La Virginie* se rassembla sur le pont pour voir les petites flammes qui s'allumaient à l'extrémité des mâts et des vergues du navire.

Michel Tournier, *Vendredi ou la vie sauvage* (1971), © Éditions Gallimard, 2007.

Observe le texte et réponds aux questions.

Le verbe en vert pourrait appartenir à deux temps : lesquels ? → ....

À quels temps les verbes soulignés sont-ils ? → ....

À quel mode ces temps appartiennent-ils ? → ....

Je retiens

TEMPS	TERMINAISONS	EXEMPLES
PRÉSENT	1er groupe : *-e, -es, -e, -ons, -ez, -ent*	*je joue*
	2e groupe : *-is, -is, -it, -issons, -issez, -issent*	*nous finissons*
	3e groupe : *-s, -s, -t, -ons, -ez, -ent* [exceptions, *voir fiche 25*]	*ils partent*
IMPARFAIT	Tous les groupes : *-ais, -ais, -ait, -ions, -iez, -aient*	*je finissais*
	Le radical utilisé est celui de la 1re personne du pluriel du présent.	*il croyait*
PASSÉ SIMPLE	1er groupe : *-ai, -as, -a, -âmes, -âtes, -èrent*	*je chantai*
	2e groupe et certains verbes du 3e groupe : *-is, -is, -it, -îmes, -îtes, -irent*	*tu finis* [comme au *présent*]
	Autres verbes du 3e groupe : *-us, -us, -ut, -ûmes, -ûtes, -urent*	*nous finîmes* *il courut* *vous tîntes*
	ou : *-ins, -ins, -int, -înmes, -întes, -inrent* [pour *venir* et *tenir* et leurs composés]	
FUTUR SIMPLE	Pour tous les groupes : *-ai, -as, -a, -ons, -ez, -ont*	*je plierai* *tu finiras*
	Le radical est celui de l'infinitif pour les 1er et 2e groupes.	*elle partira* *nous saurons*
	Pour le 3e groupe, le **r** est toujours présent, mais on n'utilise pas toujours l'infinitif.	(verbe *savoir*)
CONDITIONNEL SIMPLE	Il se forme sur le même radical que le futur simple.	*je plierais* *tu finirais*
	Les terminaisons sont celles de l'imparfait.	*elle partirait* *nous saurions*

REMARQUE On considère maintenant le conditionnel comme un temps de l'indicatif, même s'il a certaines valeurs modales, car c'est le cas de la plupart des temps de l'indicatif *(voir fiches 29 à 32)*.

Je m'entraîne

1 Conjugue le verbe *jouer* aux personnes et aux temps indiqués.

1. présent → je ....
2. passé simple → je ....
3. futur simple → tu ....
4. passé simple → il ....
5. imparfait → nous ....
6. conditionnel simple → nous ....

2 Conjugue le verbe *grandir* aux personnes et aux temps indiqués.

1. présent → je ....
2. futur simple → je ....
3. conditionnel simple → je ....
4. passé simple → tu ....
5. passé simple → vous ....
6. imparfait → ils ....

3 Conjugue le verbe *sentir* aux personnes et aux temps indiqués.

1. imparfait → il ....
2. présent → tu ....
3. futur simple → nous ....
4. passé simple → nous ....
5. conditionnel simple → ils ....
6. imparfait → vous ....

4 Conjugue ces verbes du 3e groupe au passé simple et à la personne indiquée.

1. partir → je ....
2. courir → tu ....
3. recevoir → il ....
4. venir → elle ....
5. mettre → nous ....
6. obtenir → tu ....
7. écrire → j' ....
8. vivre → ils ....
9. paraître → elle ....

5 Conjugue ces verbes au futur simple et à la personne indiquée.

1. plier → je ....
2. courir → tu ....
3. voir → il ....
4. mettre → nous ....
5. décorer → vous ....
6. étudier → j' ....
7. être → je ....
8. inclure → ils ....
9. saluer → tu ....

6 Reprends les formes trouvées à l'exercice 5 et transpose-les au conditionnel simple.

1. je ....
2. tu ....
3. il ....
4. nous ....
5. vous ....
6. j' ....
7. je ....
8. ils ....
9. tu ....

7 Surligne les verbes conjugués, indique leur temps, puis transpose-les au passé simple.

C'était des feux de Saint-Elme, un phénomène dû à l'électricité atmosphérique et qui

annonce un violent orage. Heureusement, *La Virginie* sur laquelle voyageait Robinson

n'avait rien à craindre, même de la plus forte tempête.

Michel Tournier, *Vendredi ou la vie sauvage* (1971), © Éditions Gallimard, 2007.

8 Expression écrite

À ton tour, décris une scène d'orage et explique ce que tu as ressenti.
Tu décriras d'abord à l'imparfait ce que tu faisais et où tu te trouvais au moment
où l'orage a éclaté. Ensuite tu utiliseras le passé simple pour évoquer l'orage.
Tu expliqueras enfin à l'imparfait ce que tu as ressenti.

22

Les temps composés de l'indicatif

Rappel
6e

Je me souviens

Je **suis né** en l'année 1632, dans la ville d'York, où mon père **s'était retiré** après avoir acquis beaucoup de biens en faisant le négoce.

J'avais deux frères plus âgés que moi, dont l'un était lieutenant-colonel d'un régiment d'infanterie anglais […]. Quant au second, je **n'ai jamais su** ce qu'il **était devenu**.

Daniel Defoe, *Robinson Crusoé* (1719), trad. de J. Brécard, © Le Livre de poche jeunesse, 1997.

Complète la phrase suivante en observant les verbes en vert.

Le passé composé est un temps composé de l'auxiliaire .... ou .... au .... et du .... Pour le plus-que-parfait, l'auxiliaire est à ....

Je retiens

A COMMENT SE FORMENT LES TEMPS COMPOSÉS ?

— On utilise les **auxiliaires** *avoir* ou *être* aux temps simples de l'indicatif. On y ajoute le **participe passé** du verbe à conjuguer.

— Les participes passés se terminent par une voyelle, sauf lorsque le féminin est en *-se* ou *-te* : *je suis né* • *j'ai su* • *tu as pris* (féminin : *prise*) • *la tarte est cuite*.

B LES CINQ TEMPS COMPOSÉS

— **Passé composé** = auxiliaire au **présent** + participe passé : *j'ai chanté* • *je suis allé*.

— **Plus-que-parfait** = auxiliaire à l'**imparfait** + participe passé : *tu avais entendu* • *tu étais parti*.

— **Passé antérieur** = auxiliaire au **passé simple** + participe passé : *il eut pris* • *elle fut venue*.

— **Futur antérieur** = auxiliaire au **futur** + participe passé : *j'aurai vu* • *nous serons arrivés*.

— **Conditionnel composé** = auxiliaire au **conditionnel simple** + participe passé : *ils auraient vu* • *ils seraient allés*.

C L'EMPLOI DES TEMPS COMPOSÉS

— Ils servent le plus souvent à exprimer une action qui s'est déroulée **avant** une autre action exprimée à un temps simple. Cela s'appelle l'**antériorité**.

— **Passé composé** = antériorité par rapport au **présent**.

— **Plus-que-parfait** = antériorité par rapport à l'**imparfait**, au **passé simple** ou au **passé composé**.

— **Passé antérieur** = antériorité par rapport au **passé simple**.

— **Futur antérieur** = antériorité par rapport au **futur**.

*Il **sortira** quand il **aura mangé**. • Il **sort** dès qu'il **a mangé**.*

Je m'entraîne

1 Conjugue le verbe *danser* aux personnes et aux temps indiqués.

1. passé antérieur
→ j' ....

2. futur antérieur
→ j' ....

3. passé composé
→ tu ....

4. conditionnel composé
→ tu ....

5. plus-que-parfait
→ nous ....

6. conditionnel composé
→ vous ....

2 Conjugue le verbe *partir* aux personnes et aux temps indiqués.

1. conditionnel composé
→ je ....

2. passé antérieur
→ tu ....

3. plus-que-parfait
→ elle ....

4. passé antérieur
→ nous ....

5. futur antérieur
→ nous ....

6. passé composé
→ vous ....

3 Complète les formes selon les indications.

1. passé antérieur
→ il `APPRENDRE` ....

2. passé composé
→ tu `TOMBER` ....

3. passé antérieur
→ tu `TOMBER` ....

4. plus-que-parfait
→ vous `REVENIR` ....

5. futur antérieur
→ je `REVENIR` ....

6. conditionnel composé
→ nous `COURIR` ....

4 Transpose ces formes au temps composé correspondant.
Ex. : ils dorment → ils ont dormi. ⚠ **Pense à la consonne finale de certains participes !**

1. nous prenons → ....

2. elle chanta → ....

3. tu construisais → ....

4. j'écris → ....

5. vous entendrez → ....

6. ils dirent → ....

7. nous faisons → ....

8. elle finira → ....

5 Conjugue le verbe encadré au temps composé qui convient.

1. Je t'apporte le livre que tu m' `DEMANDER` ....

2. Nous emménagerons dans notre maison quand nous `TERMINER` .... la peinture.

3. Nous sortîmes dès que la pluie `CESSER` ....

4. Quand nous `PRENDRE` .... un bon bain, nous nous précipitions sur le goûter.

5. Quand ils `ATTEINDRE` .... le sommet, ils se reposèrent.

6 Conjugue les verbes encadré à l'imparfait ou au plus-que-parfait.

Comme j' `ÊTRE` .... le troisième garçon de la famille, et n' `FAIRE` .... l'apprentissage d'aucune profession, je commençai bientôt à rouler dans ma tête force projets. Mon père, qui `ÊTRE` .... fort âgé, m' `DONNER` .... une solide éducation, soit en me dictant des leçons de sa propre bouche, soit en m'envoyant à une excellente école publique. Il me `DESTINER` .... à l'étude des lois, mais j' `AVOIR` .... de tout autres vues. Le désir d'aller sur mer me `DOMINER` .... uniquement.

Daniel Defoe, *Robinson Crusoé* (1719), trad. de J. Brécard, © Le Livre de poche jeunesse, 1997.

7 Expression écrite

As-tu, comme Robinson, une vocation, un métier qui t'attire particulièrement ? Explique les raisons de ton choix. Tu utiliseras au moins trois verbes conjugués à des temps composés et tu souligneras ces formes verbales à la relecture.

23

Le subjonctif présent

Je me souviens

Le père de Robinson dit : « Je ne veux pas que tu [partir] .... , je veux que tu [apprendre] .... un métier et que tu [travailler] .... à York. »

D'après Daniel Defoe, *Robinson Crusoé* (1719), trad. de J. Brécard, © Le Livre de poche jeunesse, 1997.

Observe le texte et conjugue les verbes entre crochets.

Quelles sont les terminaisons des verbes ? → ....

Ces verbes appartiennent-ils au même groupe ? → ....

Je retiens

A LES TERMINAISONS DU SUBJONCTIF PRÉSENT

- Les terminaisons pour les trois groupes (sauf *être* et *avoir*) sont : *-e, -es, -e, -ions, -iez, -ent.*
- Les 1re et 2e personnes du pluriel sont donc semblables à l'imparfait de l'indicatif, sauf pour quelques verbes irréguliers *(voir fiche 25)*.
  L'an dernier nous **allions** souvent au cinéma. → imparfait
  Il faut que nous **allions** au cinéma. → subjonctif
- Au **1er groupe**, ce sont les mêmes terminaisons qu'à l'indicatif, sauf aux 1re et 2e personnes du pluriel : *que je chante • que nous chantions.*
- Au **2e groupe**, le radical utilisé est celui de la 1re personne du pluriel de l'indicatif présent : *que je finisse • que tu finisses • que nous finissions.*
- Au **3e groupe**, le radical utilisé est souvent celui de la 1re personne du pluriel de l'indicatif présent : *que je parte • que je sente • qu'il entende.*
- Pour certains verbes, seule l'orthographe distingue le présent du subjonctif de l'indicatif : *je vois, tu vois, il voit* → indicatif • *que je voie, que tu voies, qu'il voie* → subjonctif.
- Pour d'autres verbes, le radical change : *que je puisse* (verbe *pouvoir*).
- Pour trouver facilement le radical du subjonctif présent, on peut utiliser l'expression *il faut que* : **Il faut qu'**il vienne, **qu'**il entende…

B LE SUBJONCTIF PRÉSENT DES VERBES *AVOIR* ET *ÊTRE*

- **Avoir** : *que j'aie, que tu aies, qu'il ait, que nous ayons, que vous ayez, qu'ils aient.*
- **Être** : *que je sois, que tu sois, qu'il soit, que nous soyons, que vous soyez, qu'ils soient.*

Je m'entraîne

* 1 Conjugue au subjonctif présent et à toutes les personnes.

JOUER	PLACER	ESSUYER	APPELER

2 Conjugue au subjonctif présent et à toutes les personnes.

SAISIR	PARTIR	ÉCRIRE	VIVRE
....	....	....	....
....	....	....	....
....	....	....	....
....	....	....	....
....	....	....	....
....	....	....	....

3 Conjugue au subjonctif présent et à toutes les personnes.

VOIR	CROIRE	COURIR	RIRE
....	....	....	....
....	....	....	....
....	....	....	....
....	....	....	....
....	....	....	....
....	....	....	....

4 Transpose au présent du subjonctif ces formes de l'indicatif présent.

1. il chante → qu'il ....
2. nous chantons → que nous ....
3. il met → qu'il ....
4. nous mettons → que nous ....
5. il essaie → qu'il ....
6. vous essayez → que vous ....
7. elle crie → qu'elle ....
8. vous criez → que vous ....

5 Transpose les formes que tu as trouvées dans l'exercice 4 à la même personne du singulier ou du pluriel.

1. qu' ....
2. que ....
3. qu' ....
4. que ....
5. qu' ....
6. que ....
7. qu' ....
8. que ....

6 Ces phrases sont au présent de l'impératif, transpose-les au présent du subjonctif.
Ex.: Viens → Il faut que tu viennes.

1. Prends le prochain train.   → ....
2. Mélange la farine et les œufs. → ....
3. Pars en courant.   → ....
4. Essayons cette belle voiture.   → ....
5. Suis cette route.   → ....
6. Tiens bien la barre.   → ....
7. Lis ce roman.   → ....
8. Restez dîner.   → ....

7 Expression écrite

Comme le père de Robinson, tes parents te font sans doute souvent des recommandations. Rédige plusieurs phrases de conseils au subjonctif.
Tu commenceras ces phrases par : « Nous voulons que... »

Les verbes difficiles du 1er groupe

Je me souviens

Robinson distingua sur le pont un groupe d'hommes qui s'efforçaient de mettre à l'eau un canot de sauvetage. Il se dirigeait vers eux pour les aider, quand un choc formidable ébranla le navire. Aussitôt après, une vague gigantesque croula sur le pont et balaya tout ce qui s'y trouvait, les hommes comme le matériel.

Michel Tournier, *Vendredi ou la vie sauvage* (1971), © Éditions Gallimard, 2007.

Observe le texte et réponds aux questions.

Souligne les sept verbes conjugués de ce passage.

À quel groupe appartiennent-ils ? → ....

À quels temps sont-ils conjugués ? → ....

Transpose-les au présent en conservant la même personne. → ....

....

Je retiens

A   LES VERBES EN –CER ET –GER

— Lorsque la terminaison commence par *a* ou *o*, il faut ajouter une **cédille** ou un *e* : *ils s'efforçaient* • *il se dirigeait*.

B   LES VERBES EN –ELER ET –ETER

— Les consonnes *l* et *t* sont doublées quand la terminaison commence par un *e* muet. Le *e* qui précède la consonne se prononce alors *è*.

— La consonne est doublée à toutes les personnes du futur simple et du conditionnel simple : *j'appellerai* • *tu jetteras*.

— À l'imparfait et au passé simple, on ne double pas la consonne car il n'y a pas de terminaison en *e*.

EXCEPTIONS Quelques verbes prennent un accent grave, de même que les verbes en *–emer*. *J'achète* • *il gèle* • *il martèle* • *il pèle* • *il sème*.

C   LES VERBES EN –YER

— Quand la terminaison commence par *e* muet, *y* devient *i*. Il y a donc un *i* à toutes les personnes du futur simple et du conditionnel simple : *je nettoie* **mais** *nous nettoyons*, *il nettoiera*.

— Les verbes en *–ayer* peuvent conserver l'*y* : *il balaie* ou *il balaye*.

EXCEPTION Le verbe *envoyer* se conjugue au futur comme le verbe *voir* : *j'enverrai*.

D   REMARQUES

— Pour les verbes portant un accent aigu sur l'avant-dernière syllabe (*posséder*), l'accent aigu devient grave si la terminaison est un *e* muet : *je possède* **mais** *nous possédons*.

— Le *e* de l'infinitif se maintient au futur simple et au conditionnel simple même s'il ne s'entend pas : *je plierai* • *tu nettoieras* • *il effectuera*.

— À la 1re personne du pluriel de l'imparfait, les verbes en *–ier* et *–yer* ont une terminaison en *–ions*, *-iez* / *-ions*, *-yiez* : *nous pliions* • *vous essayiez*.

handwritten: Je traçai / Je traçais

1 Conjugue les verbes au temps et à la personne indiqués.

1. je (TRACER) PASSÉ SIMPLE ▸ *Je traçai (corrigé)* — *Naçais*
2. j'(ENGAGER) IMPARFAIT ▸ *engageais*
3. tu (PLACER) IMPARFAIT ▸ *tu plaçais*
4. je (DIRIGER) PASSÉ SIMPLE ▸ *dirigeai*
5. nous (EFFACER) PRÉSENT ▸ *nous effaçons*
6. nous (CHANGER) PRÉSENT ▸ *changeons*
7. il (LANCER) PASSÉ SIMPLE ▸ *il lança*
8. il (EXIGER) PASSÉ SIMPLE ▸ *exigea*
9. elles (FONCER) IMPARFAIT ▸ *fonçaient*
10. il (SONGER) IMPARFAIT ▸ *songeait*

2 Conjugue les verbes au temps et à la personne indiqués.

1. je (RAPPELER) PRÉSENT ▸ *rappelles*
2. tu (REJETER) PRÉSENT ▸ *rejettes*
3. tu (ÉPELER) FUTUR ▸
4. il (JETER) FUTUR ▸
5. nous (APPELER) CONDITIONNEL ▸
6. vous (PROJETER) CONDITIONNEL ▸
7. vous (ÉTINCELER) PRÉSENT ▸ *étincellez*
8. ils (FEUILLETER) CONDITIONNEL ▸
9. ils (FICELER) FUTUR ▸
10. nous (ÉTIQUETER) FUTUR ▸

3 Conjugue les verbes au temps et à la personne indiqués.

1. je (PAYER) PRÉSENT ▸ *paie*
2. tu (ESSUYER) PRÉSENT ▸ *essuies*
3. il (ENVOYER) PRÉSENT ▸ *envoie*
4. il (ENVOYER) CONDITIONNEL ▸
5. nous (NETTOYER) CONDITIONNEL ▸
6. vous (ENNUYER) CONDITIONNEL ▸
7. ils (BALAYER) PRÉSENT ▸ *balayes*
8. ils (NOYER) CONDITIONNEL ▸

4 Ajoute quand il le faut un accent grave ou aigu sur les formes suivantes.

Il seme • nous possedons • vous semez • vous gelez • tu precedes • nous nous promenons • il se releve • il repete • elle se promene • tu esperes • vous precedez • nous esperons.

5 Barre la forme incorrecte.

1. nous effaçons / effacons
2. vous effaciez / effaçiez
3. ils achèteront / acheteront
4. je remurai / remuerai
5. tu appellais / appelais
6. nous jetterions / jeterions
7. nous plierions / plirrions
8. vous rangeiez / rangiez
9. ils plaçeraient / placeraient
10. nous remueâmes / remuâmes
11. vous plaçâtes / placeâtes
12. tu jètes / jettes

6 Barre la forme incorrecte (s'il y en a) et précise le(s) temps.

1. ils projetteraient / projeteraient
→
2. nous achèterons / acheterons
→
3. tu payeras / paieras
→ *futur*
4. nous plions / pliions
→
5. nous essayons / essayions
→
6. il appelera / appellera
→
7. vous achèterez / achèteriez
→
8. nous enverrions / envèrions
→

7 Expression écrite

As-tu, toi aussi, assisté au spectacle de la mer déchaînée ? Décris la scène et explique ce que tu as ressenti. Tu peux aussi décrire une scène vue dans un film ou un reportage.

25 Les verbes irréguliers du 3ᵉ groupe

Je me souviens

Robinson **voulut** construire un bateau. Il **fit** d'abord un radeau avec des lianes et des rondins et **alla** explorer l'épave de *La Virginie*.

D'après Michel Tournier, *Vendredi ou la vie sauvage* (1971), © Éditions Gallimard, 2007.

Observe le texte et réponds aux questions.

Donne l'infinitif des trois verbes en vert. → ....

À quel temps sont-ils conjugués ? → ....

À quel groupe appartiennent-ils ? → ....

Transpose-les au présent en conservant la même personne. → ....

Je retiens

▬ Voici les principaux verbes irréguliers du 3ᵉ groupe que tu dois connaître.

ALLER	• **Présent** → *je vais, tu vas, il va, nous allons, vous allez, ils vont*
	• **Imparfait** → *j'allais...* • **Passé simple** → *j'allai...* • **Futur simple** → *j'irai...*
	• **Subjonctif présent** → *que j'aille, que tu ailles..., que nous allions...*
	• **Impératif** → *va, allons, allez*
ASSEOIR	• **Présent** → *j'assois* ou *j'assieds..., nous assoyons* ou *nous asseyons...*
	• **Imparfait** → *j'assoyais* ou *j'asseyais...* • **Passé simple** → *j'assis...*
	• **Futur simple** → *j'assoierai* ou *j'assiérai*
	• **Subjonctif présent** → *que j'assoie* ou *asseye..., que nous assoyions* ou *asseyions...*
	• **Impératif** → *assieds* ou *assois, asseyons* ou *assoyons, asseyez* ou *assoyez*
DIRE	• **Présent** → *je dis..., vous dites...* • **Imparfait** → *je disais...*
	• **Passé simple** → *je dis..., vous dîtes...* • **Futur simple** → *je dirai...*
	• **Subjonctif présent** → *que je dise...* • **Impératif** → *dis, disons, dites*
FAIRE	• **Présent** → *je fais..., vous faites...* • **Imparfait** → *je faisais...*
	• **Passé simple** → *je fis...* • **Futur simple** → *je ferai...*
	• **Subjonctif présent** → *que je fasse...* • **Impératif** → *fais, faisons, faites...*
SAVOIR	• **Présent** → *je sais..., nous savons...* • **Imparfait** → *je savais...*
	• **Passé simple** → *je sus...* • **Futur simple** → *je saurai...*
	• **Subjonctif présent** → *que je sache...* • **Impératif** → *sache, sachons, sachez*
VOULOIR	• **Présent** → *je veux, tu veux, il veut, nous voulons, vous voulez, ils veulent*
	• **Imparfait** → *je voulais...* • **Passé simple** → *je voulus...* • **Futur simple** → *je voudrai...*
	• **Subjonctif présent** → *que je veuille..., que nous voulions..., qu'ils veuillent*
	• **Impératif** → *veuille* ou *veux, veuillons* ou *voulons, veuillez* ou *voulez*

▬ Retiens aussi les verbes suivants.

RECEVOIR	• **Présent** → *je reçois..., nous recevons...* • **Passé simple** → *je reçus...* • **Subjonctif présent** → *que je reçoive...*
VENIR / TENIR	• **Présent** → *je tiens..., nous tenons...* • **Passé simple** → *je tins...* • **Subjonctif présent** → *que je tienne..., que nous tenions...*
METTRE	• **Présent** → *je mets...* • **Passé simple** → *je mis...* • **Subjonctif présent** → *que je mette...*

1 Transpose ces formes verbales au pluriel.

1. je vais → ....
2. tu assieds → ....
3. il assoit → ....
4. tu dis → ....
5. tu fais → ....
6. je sais → ....
7. il veut → ....
8. je reçois → ....
9. tu mets → ....

2 Transpose ces formes verbales à l'imparfait et au passé simple.

tu vas		
il dit		
vous voulez		
nous asseyons		
vous assoyez		
je fais		
tu sais		
tu reçois		
ils viennent		

3 Transpose ces formes verbales au futur et au conditionnel simple.

il va		
je reçois		
ils veulent		
je sais		
tu assieds		
il fait		
je tiens		
j'assois		
nous mettons		

4 Transpose ces formes verbales au présent de l'indicatif et du subjonctif.

je savais		
nous faisions		
j'asseyais		
tu voulais		
ils allaient		

5 Complète le tableau suivant.

PRÉSENT	IMPARFAIT	PASSÉ SIMPLE	FUTUR SIMPLE	SUBJONCTIF PRÉSENT
nous venons				
	vous faisiez			
		il alla		
			nous assiérons	
				que je dise
	je voulais			

6 Expression écrite

Robinson construit un radeau à l'aide de lianes et de rondins. Tu as sans doute toi aussi construit un jour une cabane ou un objet avec les moyens dont tu disposais (ficelle, morceaux de bois, élastique, feuillage...). Raconte en quelques phrases au présent puis transpose ton texte au passé simple et au futur. Utilise au moins trois des verbes irréguliers de la leçon.

Voix active et voix passive

Je me souviens

Robinson éleva autour de sa maison et de l'entrée de la grotte une enceinte à deux créneaux dont l'accès était lui-même défendu par un fossé de deux mètres de large et de trois mètres de profondeur. Les deux fusils étaient posés – chargés – sur le bord des trois créneaux du centre.

Michel Tournier, *Vendredi ou la vie sauvage* (1971), © Éditions Gallimard, 2007.

Observe le texte et réponds aux questions.

Relève les sujets des deux verbes en vert. → ....

Font-ils l'action exprimée par le verbe ? → ....

À quelle voix sont donc ces verbes ? → ....

Je retiens

A LA VOIX ACTIVE

- La voix active comporte des **formes simples** et des **formes composées**.
- Les temps simples ne comportent qu'**un mot** : *je chante* • *je pars*.
- Les temps composés sont constitués de **deux mots** : les auxiliaires *avoir* ou *être* et le participe passé du verbe : *j'ai chanté* • *je suis parti*.

B LA VOIX PASSIVE

- La voix passive ne comporte **aucune forme simple**.
- Les temps simples sont constitués de **deux mots**.
- Les temps composés sont constitués de **trois mots**.
- Seul l'**auxiliaire être** est utilisé. Il est conjugué à un temps simple ou composé : *il était défendu* • *il avait été défendu*.

REMARQUES

- Les verbes qui utilisent l'auxiliaire *être* à la voix active n'ont pas de voix passive.
- Les verbes qui n'admettent pas de COD n'ont pas de voix passive *(voir fiche 10)*.

C LES TEMPS DE LA VOIX PASSIVE

TEMPS SIMPLES	
Présent	Auxiliaire *être* au présent + participe passé : *je suis pris*
Imparfait	Auxiliaire *être* à l'imparfait + participe passé : *elle était vue*
Passé simple	Auxiliaire *être* au passé simple + participe passé : *tu fus entendu*
Futur simple	Auxiliaire *être* au futur + participe passé : *ils seront faits*
Conditionnel simple	Auxiliaire *être* au conditionnel simple + participe passé : *nous serions aimés*
Subjonctif présent	Auxiliaire *être* au subjonctif présent + participe passé : *qu'ils soient posés*

TEMPS COMPOSÉS	
Passé composé	Auxiliaire *être* au passé composé + participe passé : *j'ai été pris*
Plus–que–parfait	Auxiliaire *être* au plus–que–parfait + participe passé : *elle avait été vue*
Passé antérieur	Auxiliaire *être* au passé antérieur + participe passé : *tu eus été entendu*
Futur antérieur	Auxiliaire *être* au futur antérieur + participe passé : *ils auront été faits*
Conditionnel composé	Auxiliaire *être* au conditionnel composé + participe passé : *nous aurions été aimés*

1 Conjugue le verbe *placer* à la voix passive, au temps et à la personne indiqués.

1. je PRÉSENT ....
2. tu IMPARFAIT ....
3. elle FUTUR ....
4. nous PASSÉ SIMPLE ....
5. vous SUBJONCTIF PRÉSENT ....
6. ils CONDITIONNEL SIMPLE ....
7. j' PASSÉ COMPOSÉ ....
8. tu FUTUR ANTÉRIEUR ....
9. elle PLUS-QUE-PARFAIT ....
10. nous PASSÉ ANTÉRIEUR ....
11. ils CONDITIONNEL COMPOSÉ ....
12. elles PASSÉ COMPOSÉ ....

2 Indique à quel temps de la voix passive sont ces formes verbales.

1. elle est vue → ....
2. elle avait été étonnée → ....
3. qu'il soit autorisé → ....
4. il a été pris → ....
5. ils seront encerclés → ....
6. ils auront été amenés → ....

3 Transpose à la voix passive en conservant le même temps.

1. il prépare → ....
2. nous poserons → ....
3. elle regardait → ....
4. qu'il mette → ....
5. il a pris → ....
6. elle avait entendu → ....

4 Transpose à la voix active en conservant le même temps.

1. nous sommes retardés → ....
2. ils ont été retrouvés → ....
3. elles étaient appelées → ....
4. elle sera surprise → ....
5. nous avons été pris → ....
6. nous aurons été attendus → ....

5 Transpose ces phrases à la voix active en conservant le même temps.

1. Les enfants ont été piqués par des moustiques. → ....

2. Le nouveau collège sera inauguré par monsieur le maire. → ....
....

3. L'épave de *La Virginie* est visitée par Robinson. → ....

4. La nouvelle avait été connue par tous les habitants du village. → ....
....

6 Transpose ces phrases à la voix passive en conservant le même temps.
⚠ La transposition sera impossible pour une phrase, explique pourquoi.

1. Les enfants ont construit une cabane. → ....

2. Robinson protégeait la maison et la grotte. → ....
....

3. Ma sœur a couru très longtemps. → ....

4. Tous les téléspectateurs regarderont cette émission. → ....
....

7 Expression écrite

Imagine que tu aies gagné un séjour d'une semaine sur une île déserte.
La nourriture et le logement te sont fournis, tu dois juste emporter de quoi t'occuper.
Que vas-tu choisir, sachant que sur l'île il n'y a pas de connexion internet ?
Utilise au moins une phrase à la voix passive que tu souligneras.

27

Les modes impersonnels

Je me souviens

Ayant ainsi **organisé** ma demeure, je perfectionnai mes fortifications, n'**omettant** rien pour **rendre** l'ouvrage inébranlable. Bien plus, je recouvris toute ma palissade de gazon, en sorte qu'à distance il devint impossible de **distinguer** mon habitation.

Daniel Defoe, *Robinson Crusoé* (1719), trad. de J. Brécard, © Le Livre de poche jeunesse, 1997.

Observe le texte et réponds aux questions.

Peux-tu conjuguer les formes verbales en vert ? .... Classe-les dans les colonnes suivantes.

PARTICIPES	INFINITIFS
....	....

Je retiens

A LES MODES IMPERSONNELS (OU NON PERSONNELS)

— On appelle modes impersonnels les modes qui ne se conjuguent pas. Ce sont l'**infinitif** et le **participe**. Ces modes ont deux temps : le **présent** et le **passé**.

— Ils existent à la **voix active** et à la **voix passive** (sauf pour les verbes n'ayant pas de voix passive) :
   • le présent actif est une **forme simple** ;
   • au passé et à la voix passive, les **formes** sont **composées** ou **surcomposées**.

B L'INFINITIF

— Le suffixe d'infinitif présent varie selon les groupes (*-er, -ir, -oir, -dre...*).

— Pour les formes composées, on utilise les auxiliaires *avoir* et *être* à l'infinitif présent + le **participe passé**.

	PRÉSENT	PASSÉ
Voix active	distinguer	avoir distingué
Voix passive	être distingué	avoir été distingué

REMARQUE L'infinitif présent actif est la forme utilisée pour classer un verbe dans un dictionnaire.

C LE PARTICIPE

— Le **participe présent actif** se forme à l'aide du **suffixe** *-ant*.

— Le radical utilisé est celui de la 1re personne du pluriel (exception : *sachant*, verbe *savoir*).

— Pour les formes composées, on utilise les auxiliaires au participe présent : *ayant, étant...* + le participe passé.

	PRÉSENT	PASSÉ
Voix active	organisant	ayant organisé
Voix passive	(étant) organisé	(ayant été) organisé

— Le participe passif est souvent utilisé de façon abrégée.
   *Le départ **donné**, les coureurs s'élancèrent.* → au lieu de : *le départ **ayant été donné**.*

D LE GÉRONDIF

— On appelle ainsi le groupe formé par un **participe présent actif précédé de la préposition en** : *en chantant, en marchant...*

* 1 Forme les infinitifs et les participes du verbe proposé à la voix active, puis à la voix passive.

INFINITIF PRÉSENT	INFINITIF PASSÉ	PARTICIPE PRÉSENT	PARTICIPE PASSÉ
finir			

* 2 Classe ces formes dans la bonne colonne : chantant • regarder • en dansant • étant pris • avoir regardé • être compris • en partant • surpris • avoir été entendu • sachant • en sortant.

PARTICIPE PRÉSENT ▸ ....

PARTICIPE PASSÉ ▸ ....

GÉRONDIF ▸ ....

INFINITIF PRÉSENT ▸ ....

INFINITIF PASSÉ ▸ ....

** 3 Transpose ces formes au passé en conservant le mode et la voix.

1. aimer → ....   **2.** chantant → ....

3. être aimé → ....   **4.** étant terminé → ....

** 4 Transpose ces formes à la voix passive en conservant le mode et le temps.

1. accueillir → ....   **2.** attendant → ....

3. ayant reçu → ....   **4.** avoir appris → ....

** 5 Transpose ces formes d'infinitif au participe (même temps, même voix).

1. manger → ....   **2.** asseoir → ....

3. avoir voulu → ....   **4.** être entendu → ....

** 6 Remplace les groupes soulignés par un gérondif.

1. J'aime écouter de la musique quand je déjeune. → ....

2. Quand je suis entré, j'ai entendu des applaudissements. → ....

3. Si vous écoutez attentivement, vous entendrez le bruit de la mer. → ....

4. Comme elle courait pour rattraper le bus, elle a laissé tomber son écharpe. → ....

*** 7 Relève les infinitifs et les participes de ce texte, puis classe-les dans le tableau. Complète ensuite le tableau.

J'amenai le chevreau en laisse au logis. L'ayant soigné, je le gardai avec moi, puis il s'apprivoisa, broutant dans mon enclos sans jamais prendre la fuite.

D'après Daniel Defoe, *Robinson Crusoé* (1719), trad. de J. Brécard, © Le Livre de poche jeunesse, 1997.

INFINITIF PRÉSENT	INFINITIF PASSÉ	PARTICIPE PRÉSENT	PARTICIPE PASSÉ
....	....	....	....
....	....	....	....
....	....	....	....

*** 8 Expression écrite

Comme Robinson, as-tu déjà apprivoisé un animal ? Raconte cette expérience. Si cela ne t'est pas arrivé, tu peux raconter une expérience imaginaire ou t'inspirer d'une lecture ou d'un film.

28

Les accized de participes passés (Rapp

Les accords de participes passés (Rapp

Je me souviens

Robinson pensa que c'était la première fois qu'il riait depuis le naufrage de *La Virginie*. Peut-être pouvait-il rire à nouveau parce qu'il avait enfin un compagnon ? Mais il se mit à courir tout à coup parce qu'une idée lui **était venue** : L'Évasion ! Il **avait** toujours **évité** de revenir sur l'emplacement du chantier où il **avait eu** une si grande déception.

Michel Tournier, *Vendredi ou la vie sauvage* (1971), © Éditions Gallimard, 2007.

Observe le texte et réponds aux questions.

À quel temps les formes verbales en vert sont-elles ? → ....

Avec quel mot le premier participe est-il accordé ? Explique pourquoi. → ....

....

Je retiens

A L'ACCORD DU PARTICIPE PASSÉ

➤ Avec l'auxiliaire **être**, le participe passé s'accorde en genre et en nombre avec le sujet du verbe. *Une idée lui **était** venu**e**.*

REMARQUE À la voix passive, l'auxiliaire *être* est parfois à un temps composé : *Elles **ont été** interrogées.*

➤ Avec l'auxiliaire **avoir**, le participe passé ne s'accorde jamais avec le sujet. Il ne s'accorde qu'avec un COD placé avant le verbe. *Ces fleurs, je les **ai** cueilli**es** pour vous.*

B L'ACCORD AVEC LE COD PLACÉ AVANT LE VERBE

➤ Le COD peut être placé avant le verbe :

- dans les phrases interrogatives. *Quels livres **as**-tu lu**s** cet été ?*

- lorsque le COD est le pronom relatif *que* ou un pronom personnel.
  *Les livres **que** j'**ai** lu**s** étaient passionnants. • Ces livres, je les **ai** lu**s** très rapidement.*

➤ **Cas particuliers**

- Lorsque le COD est le pronom *en*, le participe reste invariable.
  *Il y a des fleurs dans ce pré, j'**en ai** cueilli ce matin.*

- Lorsque le COD est le pronom *l'* et qu'il remplace le contenu de la phrase précédente, le participe reste invariable. *Cette maison n'est pas aussi grande que je l'**avais** cru.*

- Le participe ne s'accorde pas si le complément placé avant est en fait un complément circonstanciel. *Les dix minutes qu'elle **a** attendu l'ont énervée.*

  REMARQUE Cette situation se rencontre avec des CC exprimant une durée, un prix ou une distance.

Je m'entraîne

 Accorde les participes passés quand il le faut.

1. Elles ont été étonné.... de se retrouver là.

2. Nous sommes arrivé.... sur une île déserte.

3. Ces pièces seront repeint.... avant les vacances.

4. Robinson et Vendredi ont retrouvé.... le bateau.

2 Accorde les participes passés et souligne le mot avec lequel tu les as accordés.

1. J'ai acheté plusieurs romans d'aventures et je les ai tous lu.... .

2. Les Indiens que Robinson a observé.... étaient effrayants.

3. Combien d'Indiens a-t-il vu....?

4. Cette route, nous l'avons suivi.... jusqu'au bout.

3 Accorde les participes passés de ces phrases interrogatives.

1. Quelle région avez-vous choisi.... pour les vacances ?

2. Combien de poissons as-tu rapporté...?

3. Quand avez-vous été prévenu...?

4. Sur quelle île avez-vous accosté...?

4 Mets ces phrases au passé composé.

1. Cette histoire nous intéresse. →

2. Les aventures de Robinson, je les relis souvent. →

3. Voici les photos que tu me demandes. →

4. J'approuve la suggestion que tu fais. →

5 Reprends les mots soulignés par un pronom personnel et fais les accords en conséquence. *Ex. : Il m'a apporté des fleurs. → Il me les a apportées.*

1. Mon frère a inventé toute une histoire. →

2. J'ai apporté de la nourriture. →

3. Je ne savais pas que ta sœur était si grande. →

4. Mon grand-père a cueilli des tomates. →

6 Accorde les participes passés. ⚠ Vérifie si le complément placé avant est COD ou CC.
Ex. : C'est une nouvelle que j'ai attendue longtemps. → que est COD.
   Les deux heures que j'ai attendu. → que est CCT (deux heures indique une durée).

1. Les aventures qu'il a vécu.... sont extraordinaires.

2. Les dix ans qu'il a vécu.... en Normandie sont les meilleurs de sa vie.

3. Les risques qu'il a couru.... étonnent tout le monde.

4. Les dix kilomètres qu'il a couru.... étaient épuisants.

7 Conjugue au passé composé les formes encadrées.

Robinson UTILISA .... les pièces d'or qu'il SAUVA .... de l'épave de *La Virginie* pour payer Vendredi. Celui-ci ACHETA .... bientôt des suppléments de nourriture et de petits objets qu'il PAYA .... avec l'argent ainsi gagné.

D'après Michel Tournier, *Vendredi ou la vie sauvage* (1971), © Éditions Gallimard, 2007.

8 Expression écrite

Robinson a retrouvé l'envie de rire le jour où il n'a plus été seul. Comprends-tu cette réaction ? Les amis sont-ils très importants pour toi ou au contraire apprécies-tu plutôt la solitude ? Tu peux exposer ton point de vue en adoptant une position nuancée.

Comment utiliser un tableau de conjugaison

Les tableaux de conjugaison sont très utiles, encore faut-il savoir bien les utiliser.

Que trouve-t-on dans un tableau de conjugaison ?

- Les **modes personnels** apparaissent en premier : indicatif, subjonctif, impératif.
- Les **modes impersonnels** apparaissent ensuite : infinitif, participe.
- Sous chaque mode apparaissent les **temps**.
- La première ligne ou colonne pour les **temps simples**, la deuxième pour les **temps composés**.

Quels tableaux trouve-t-on ?

- Les tableaux sont **classés par groupes**.
- Les **deux auxiliaires** sont donnés sur la première page.
- Pour le **1er groupe** sont proposés un verbe simple à la voix active et à la voix passive, puis quelques verbes difficiles.
- Pour le **2e groupe** est proposé un seul tableau.
- Pour le **3e groupe** sont proposés un verbe simple, puis les principaux verbes irréguliers.

Comment trouver la bonne information ?

- Tout d'abord, **trouve le groupe du verbe** à conjuguer ou à analyser.
- Puis **observe l'infinitif** pour savoir s'il s'agit d'un **verbe régulier ou non**.
    - → Si tu dois conjuguer le verbe *essuyer*, tu chercheras le tableau des verbes en *-yer*.
- Cherche ensuite les **modes** et les **temps demandés**.
- Pour la **voix passive**, quel que soit le verbe, prends le modèle du 1er groupe.
  Rappel À la voix passive, il suffit de conjuguer l'auxiliaire *être*, un seul modèle suffit.
- Observe bien les couleurs utilisées : dans les tableaux des pages 120 à 128, les terminaisons ou les auxiliaires sont en rouge.
- Les principales difficultés des verbes irréguliers sont surlignées.
    - → *je nettoierai* → La transformation de l'*y* en *i* est surlignée.

À retenir

Réfléchis d'abord au tableau de référence. Puis, quand tu as trouvé le bon tableau, observe les couleurs qui te renseignent sur les difficultés.

Applique la méthode

Pour t'aider, utilise les tableaux de conjugaison des pages 120 à 128.

1 Tu dois conjuguer les verbes suivants, à quel modèle te référeras-tu ?

1. appuyer → ....
2. saisir → ....
3. croire → ....
4. sentir → ....
5. rappeler → ....
6. rejeter → ....
7. grandir → ....
8. tenir → ....
9. mettre → ....
10. vouloir → ....

2 Indique le mode de ces formes verbales.

1. que je vienne → ....
2. pars → ....
3. prenant → ....
4. retenir → ....
5. il finissait → ....
6. nous avons aimé → ....
7. avoir vu → ....
8. qu'il soit → ....

3 Indique si les formes verbales sont au présent ou au passé composé.

1. avoir fini → ....
2. étant partie → ....
3. il a appris → ....
4. qu'il parte → ....
5. il est pris → ....
6. être vu → ....

4 Indique l'infinitif et le groupe des formes verbales proposées.
⚠ Une des formes peut appartenir à deux verbes différents.

1. il sert → ....
2. il serrera → ....
3. il ouvre → ....
4. il saura → ....
5. il sera → ....
6. il tint → ....
7. ils vont → ....
8. tu saisis → ....
9. ils peignent → ....

5 Trouve les formes demandées à l'aide des tableaux de conjugaison.

1. *venir*, indicatif, passé simple, voix active, 1re personne du pluriel → ....

2. *appeler*, indicatif, futur simple, voix active, 3e personne du singulier → ....

3. *effrayer*, indicatif, conditionnel simple, voix active, 1re personne du pluriel → ....

4. *prendre*, subjonctif, présent, voix passive, 3e personne du singulier → ....

5. *savoir*, impératif, voix active, 2e personne du singulier → ....

6 Indique l'infinitif, le temps, le mode et la voix de ces formes verbales.

1. il prie → ....
2. il prit → ....
3. il est pris → ....
4. il est parti → ....
5. il partit → ....
6. il serre → ....
7. il servit → ....
8. il était servi → ....
9. il avait servi → ....

7 Retrouve le temps, le mode et la personne de ces formes verbales. ⚠ Les pronoms personnels ont été supprimés, plusieurs réponses sont souvent possibles.

1. chante → ....
2. rie → ....
3. ris → ....
4. cours → ....
5. conclut → ....
6. conclue → ....
7. croyions → ....

Comment distinguer voix passive et temps composés de la voix active

Il est parfois difficile de savoir si une forme composée appartient à la voix active ou à la voix passive. Voici quelques points de repère.

Les formes faciles à identifier

- Les formes composées de **deux mots** avec l'**auxiliaire *avoir*** sont toujours à la **voix active**.
- Les formes composées de **trois mots** sont toujours à la **voix passive**.

> *Il avait travaillé.* → voix active • *La maison a été démolie.* → voix passive

Les formes difficiles à identifier : formes en deux mots avec l'auxiliaire *être*

- Si la forme appartient à la **voix active**, tu as deux points de repère :
  - → le sujet fait l'action ;
  - → le verbe ne peut pas se conjuguer avec un autre auxiliaire.

  > *Paul est tombé dans la cour.* → Paul fait l'action et on ne peut pas dire : « *il a tombé* ».

- Si la forme appartient à la **voix passive**, tu as trois points de repère :
  - → le sujet ne fait pas l'action ;
  - → le verbe peut se conjuguer avec l'auxiliaire *avoir* ;
  - → tu peux mettre la phrase à la voix active.

  > *Paul est appelé par le directeur.* → Paul ne fait pas l'action (on peut dire : *il a appelé*) et à la voix active on obtient : *Le directeur appelle Paul.*

- La présence d'un **complément d'agent** peut aussi te permettre d'**identifier la voix passive**.

À retenir

Seules les formes en deux mots avec l'auxiliaire *être* posent problème : si le sujet fait l'action, c'est la **voix active**, sinon c'est la **voix passive**.

Applique la méthode

1 **Relie les formes verbales à la bonne voix.**

1. Il a mangé ■
2. Nous sommes partis ■
3. Nous sommes écoutés ■
4. Tu as été remarquée ■
5. Ils avaient oublié ■
6. Ils étaient recouverts ■

■ VOIX ACTIVE

■ VOIX PASSIVE

2 **Dans chaque liste, barre l'intrus et justifie ton choix.**

1. Ils ont pris • ils sont allés • ils auront entendu • ils sont tombés • ils sont demandés • ils auraient cru.

→ ....
....

2. Nous sommes pris • nous étions intéressés • nous avons été trompés • nous sommes venus • nous sommes suivis.

→ ....
....

3 Indique la voix et le temps des formes verbales.

1. vous êtes venus → ....

2. ils sont écoutés → ....

3. tu avais choisi → ....

4. je serais sorti → ....

5. qu'elle soit réveillée → ....

6. elle sera partie → ....

7. ils avaient été étonnés → ....

4 Indique le temps de ces formes verbales à la voix active, puis transpose-les à la voix passive. ⚠ Dans un cas, ce sera impossible, précise pourquoi.

1. il a regardé → ....

2. tu choisiras → ....

3. il était parti → ....

4. que je comprenne → ....

5. elle aurait vu → ....

6. vous suivez → ....

5 Indique le temps de ces formes verbales à la voix passive, puis transpose-les à la voix active.

1. tu es pris → ....

2. il avait été surpris → ....

3. nous serons écoutés → ....

4. que nous soyons reconnus → ....

5. vous avez été choisies → ....

6. j'étais étonnée → ....

6 Souligne les compléments d'agent, puis transpose les phrases à la voix active. ⚠ Il n'y a pas un complément d'agent dans chaque phrase !

1. Nous avons été réveillés par le chant du coq. → ....

2. Il est arrivé chez nous par hasard. → ....

3. Cette pièce est appréciée de tous les spectateurs. → ....

4. Nous ne sommes pas sortis de chez nous. → ....

5. Cette prairie sera bientôt recouverte de neige. → ....

7 Complète le tableau.

INFINITIF	TEMPS	VOIX ACTIVE	VOIX PASSIVE
apprendre	passé composé	elle	elle
faire	imparfait	elles	elles
asseoir	subjonctif présent	que j'	que je
tenir	passé simple	je	je
choisir	futur	vous	vous
appeler	indicatif présent	ils	ils
applaudir	conditionnel composé	ils	ils

Je sais conjuguer aux temps de l'indicatif et du subjonctif

1 **Conjugue au présent de l'indicatif, à la personne indiquée.** ...... / 2 points

1. je VOULOIR ....
2. tu RAPPELER ....
3. il ESSAYER ....
4. vous DIRE ....
5. nous MANGER ....
6. elles ASSEOIR ....
7. vous FAIRE ....
8. tu RECEVOIR ....

2 **Conjugue à l'imparfait de l'indicatif, à la personne indiquée.** ...... / 2 points

1. je RANGER ....
2. tu FAIRE ....
3. vous PAYER ....
4. nous PLIER ....

3 **Conjugue au passé simple de l'indicatif, à la personne indiquée.** ...... / 2 points

1. je FINIR ....
2. j' ASSEOIR ....
3. il VENIR ....
4. nous VOULOIR ....

4 **Conjugue au futur simple, puis au conditionnel simple et à la personne indiquée.**

1. il ENVOYER .... / 3 points
2. nous SAVOIR ....
3. elle APPELER ....

5 **Conjugue au subjonctif présent, à la personne indiquée.** ...... / 3 points

1. que je FINIR ....
2. que tu FAIRE ....
3. qu'il SAVOIR ....
4. qu'il CROIRE ....
5. qu'il RIRE ....
6. que nous ASSEOIR ....
7. que nous ENVOYER ....
8. qu'ils VOULOIR ....

6 **Conjugue aux cinq temps composés, à la personne indiquée.** ...... / 5 points

	ALLER	**FAIRE**
Passé composé	elle	elle ....
Plus-que-parfait	vous	vous ....
Futur antérieur	elles	elles ....
Passé antérieur	tu	tu ....
Conditionnel composé	je	j' ....

7 **Barre la forme incorrecte et indique le (ou les) temps utilisé(s).**
⚠ **Les deux formes peuvent être justes.** ...... / 3 points

1. vous dites / dîtes ▸ ....
2. il espère / espére ▸ ....
3. il appellera / appelera ▸ ....
4. il rit / rie ▸ ....
5. il conclura / concluera ▸ ....
6. il jourait / jouerait ▸ ....

MON TOTAL .... / 20 points

Je sais utiliser la voix passive, les modes impersonnels et les participes passés

1 **Conjugue le verbe *entendre* à la voix passive, au temps et à la personne indiqués.**

...... / 5 points

1. il IMPARFAIT ....
2. tu FUTUR ....
3. elle CONDITIONNEL SIMPLE ....
4. il PASSÉ SIMPLE ....
5. que tu SUBJONCTIF PRÉSENT ....
6. elle PASSÉ COMPOSÉ ....
7. vous PLUS-QUE-PARFAIT ....
8. nous FUTUR ANTÉRIEUR ....
....
9. nous CONDITIONNEL COMPOSÉ ....
10. elles PASSÉ ANTÉRIEUR ....
....

2 **Transpose ces formes à la voix passive en conservant le même temps et la même personne.**

...... / 3 points

1. il prend ☐ ....
2. nous admirions ☐ ....
3. ils achèteront ☐ ....
4. vous avez compris ☐ ....
5. elle ferait ☐ ....
6. j'avais encouragé ☐ ....

3 **Complète le tableau suivant avec le verbe *faire*.**

...... / 4 points

	VOIX ACTIVE	VOIX PASSIVE
Infinitif présent		
Infinitif passé		
Participe présent		
Participe passé		

4 **Accorde les participes et justifie ton accord sur le modèle suivant.**   ...... / 8 points

Ex. : elle est partie ☐ auxiliaire être, accord avec le sujet elle.

1. Ils sont revenus hier.
   ☐ ....

2. Les derniers films qu'elles ont vus les ont beaucoup déçues.
   ☐ ....

3. Prenez des bonbons, j'en ai acheté ce matin.
   ☐ ....

4. Les aventures de Robinson sont beaucoup plus intéressantes que je ne l'avais cru.
   ☐ ....

5. Nous avons été étonné(e)s par cette histoire.
   ☐ ....

6. Ces récits d'aventures je les ai souvent relus.
   ☐ ....

7. Quels romans avez-vous lus cet été ?
   ☐ ....

8. Les deux ans qu'il a vécu loin de chez lui sont les plus tristes de sa vie.
   ☐ ....

29

Les emplois du présent et du futur

Rappel 6ᵉ

Je me souviens

OCTAVE. – Je **suis assassiné** par ce maudit retour.
SYLVESTRE. – Je ne le **suis** pas moins.
OCTAVE. – Lorsque mon père **apprendra** les choses, je vais voir fondre sur moi un orage soudain d'impétueuses réprimandes.

Molière, *Les Fourberies de Scapin*, acte I, scène 1.

Complète la phrase.

Les verbes en bleu sont conjugués au .... et décrivent la situation.

Le verbe en vert est conjugué au .... et décrit une situation qui n'a pas encore eu lieu.

Je retiens

A LES EMPLOIS DU PRÉSENT

- **Présent d'énonciation** ou **d'actualité** : pour des faits qui se déroulent au moment où l'on parle.
- **Présent de passé proche** ou **de futur proche** : pour des faits qui viennent de se produire ou auront lieu très prochainement.
- **Présent d'habitude** : pour des faits qui se répètent régulièrement.
- **Présent de vérité générale** : pour des faits valables quelle que soit l'époque.
- **Présent de narration** : s'utilise dans un récit au passé, pour mettre en valeur une action et rendre le récit plus vivant.

B LES EMPLOIS DU FUTUR

- Le **futur** s'utilise pour une **action qui n'a pas encore eu lieu** mais que l'on prévoit de façon sûre.

C LES VALEURS MODALES DU PRÉSENT ET DU FUTUR

Un temps a une **valeur modale** lorsqu'il s'utilise pour un fait qui n'est **pas réel**.

- **Après la conjonction si**, le **présent** s'utilise souvent pour exprimer une **condition**. Le **futur** s'utilise alors pour exprimer l'**action soumise à la condition**.
  *Si ton père **apprend** cela, il **sera** furieux.*
- Le **futur** peut aussi avoir la **valeur d'un impératif**.
  *Tu **répondras** au téléphone en mon absence.*

Je m'entraîne

★ 1 **Les verbes soulignés sont-ils des présents d'énonciation, de futur ou de passé proches ?**

	ÉNONCIATION	FUTUR	PASSÉ
1. Nous arrivons dans cinq minutes.	☐	☐	☐
2. Que fais-tu ? Je lis.	☐	☐	☐
3. Tu ne le verras pas : il sort à l'instant.	☐	☐	☐
4. Nous partons la semaine prochaine.	☐	☐	☐

2 Indique si les verbes soulignés expriment une vérité générale ou une habitude.

	VÉRITÉ GÉNÉRALE	HABITUDE
1. Je me lève à huit heures tous les matins.	☐	☐
2. Tous les ans nous partons aux sports d'hiver.	☐	☐
3. On a souvent besoin d'un plus petit que soi.	☐	☐
4. Le soleil est dangereux pour la peau.	☐	☐

3 Indique si les verbes soulignés expriment une action future ou un ordre.

	ACTION FUTURE	ORDRE
1. Nous partirons très tôt demain matin.	☐	☐
2. Tu prendras le journal en sortant du collège.	☐	☐
3. Vous n'oublierez pas votre maillot de bain.	☐	☐
4. Je pense qu'il réussira.	☐	☐
5. Tu mettras le gâteau au four à 18 h.	☐	☐

4 Indique à la fin de chaque phrase la valeur du présent.

1. Nous déménageons à la fin de l'année. → ....

2. Il n'est pas facile de survivre sur une île déserte. → ....

3. Nous regardions notre série préférée : la télé tombe en panne ! → ....

4. Si tu écoutes bien, tu comprendras. → ....

5. Je bois un bol de chocolat chaque matin. → ....

6. Nous assistons à la finale de la Coupe du monde. → ....

7. Si tu reçois son message, n'oublie pas de répondre. → ....

5 Indique à la fin de chaque phrase la valeur du futur.

1. Je pense qu'il sera là à l'heure. → ....

2. S'il vient, cela nous fera plaisir. → ....

3. Tu lui ouvriras la porte. → ....

4. Nous aurons le temps de discuter. → ....

5. En cas de pluie, nous dresserons une tente. → ....

6. Tu n'oublieras pas de lui transmettre le message. → ....

6 Souligne tous les verbes au présent et au futur puis précise leur emploi.

1. Molière est l'auteur de nombreuses comédies. → ....

2. Chaque année nous étudions une pièce de théâtre. → ....

3. En classe de 5e, nous étudierons *Les Fourberies de Scapin*. → ....

4. Si j'oublie mon livre, je suivrai avec toi. → ....

5. Je n'irai pas au théâtre avec vous, tu me raconteras la pièce. → ....

6. En ce moment, je lis une nouvelle pièce. → ....

7 Expression écrite

Octave redoute l'arrivée de son père. T'est-il arrivé de redouter un événement ? Raconte cette expérience au présent de narration et utilise aussi le futur pour imaginer comment se déroulera l'événement redouté.

30

Les emplois de l'imparfait et du passé simple

(Rappel 6e

Je me souviens

OCTAVE. – Comme nous sommes de grands amis, il me <u>fit</u> aussitôt confidence de son amour et me <u>mena</u> voir cette fille, que je <u>trouvai</u> belle à la vérité, mais non pas tant qu'il voulait que je la trouvasse. Il ne m'*entretenait* que d'elle chaque jour, m'*exagérait* à tous moments sa beauté et sa grâce, me *louait* son esprit et me *parlait* avec transport des charmes de son entretien…

Molière, *Les Fourberies de Scapin*, acte I, scène 1.

Observe le texte et réponds aux questions.

À quel temps sont conjugués les verbes soulignés ? → ....

À quel temps sont conjugués les verbes en vert ? → ....

Relève deux expressions qui montrent que les actions en vert se sont répétées. → ....

....

Je retiens

A L'IMPARFAIT

— L'imparfait s'utilise pour des actions de **second plan**, d'une **durée indéterminée**.

— Il sert aux **descriptions**, il permet de **planter le décor**.

— Il peut aussi mettre en valeur la **durée**.

— Il s'utilise enfin pour des **actions répétées** ou **habituelles**.

B LA VALEUR MODALE DE L'IMPARFAIT

— L'imparfait s'utilise **après la conjonction *si*** pour exprimer une **condition**. Dans ce cas, on utilisera le **conditionnel simple** pour l'**action soumise à la condition**.

  *Si tu **arrivais** assez tôt, nous **irions** à la plage.*

C LE PASSÉ SIMPLE

— Le passé simple s'utilise pour les **actions principales qui se succèdent** dans un récit.

— Il s'agit d'actions qui n'ont eu lieu **qu'une fois**.

— Ce sont des actions **bien datées**, souvent précisées par des CCT : *ce jour-là, à huit heures*…

— Il met parfois en valeur la **soudaineté** ou la **rapidité** de l'action.

  *Un jour il me **mena** voir cette fille.*

Je m'entraîne

* 1 Relie les imparfaits soulignés à la valeur correspondante.

1. Il se <u>baignait</u> chaque matin.
2. Le soleil <u>brillait</u> depuis le matin.
3. Un toit de chaume <u>recouvrait</u> cette maison.
4. Les enfants <u>jouaient</u> dans la cour quand il arriva.
5. L'année dernière je ne <u>travaillais</u> pas le matin.

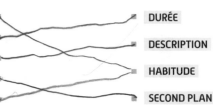

DURÉE

DESCRIPTION

HABITUDE

SECOND PLAN

2 Relie les passés simples soulignés à la (aux) valeur(s) correspondante(s).

1. L'orage éclata d'un seul coup.

2. Il arriva à 13 h, prit son chapeau et repartit.

3. Ce jour-là, contrairement à l'habitude, il se leva tôt.

4. Nous discutions quand un chien arriva en aboyant.

ACTION SOUDAINE

ACTION BIEN DATÉE

ACTION UNIQUE

3 Choisis la forme adaptée.

Il ~~faisait~~ / fit très chaud ce jour-là, quand nous ~~arrivâmes~~ / arrivions dans notre maison de vacances. Très vite nous sortions / ~~sortîmes~~ les valises et ~~entrâmes~~ / entrions. Pendant que ma mère accrocha / ~~accrochait~~ les vêtements, nous décidions / ~~décidâmes~~ d'aller nous baigner. Nous ~~attrapâmes~~ / attrapions nos maillots et ~~descendîmes~~ / descendions jusqu'à la plage.

4 Utilise selon les cas l'imparfait et le passé simple pour les verbes encadrés.

Ex.: Alors que je MARCHER *marchais* tranquillement, un orage ÉCLATER *éclata*.

1. Dimanche il se LEVER *leva* à 6 h, alors qu'il n'AVOIR *n'eut* *arrivait* pas cours.

2. Tandis qu'elle QUITTER *quittait* le bal, Cendrillon PERDRE *perdait* sa chaussure.

3. La mer ÊTRE *fut était* basse, nous RAMASSER *ramassions* des coquillages, soudain la marée nous SURPRENDRE *surprit*.

5 Utilise le présent ou l'imparfait à valeur modale, en observant l'autre verbe de chaque phrase.

1. Si tu ATTENDRE *attendais* quelques minutes, tu le verras.

2. Si nous AVOIR *avions* plus de temps, nous irions visiter le château.

3. Tu seras très heureux, si tu ARRIVER *arrives* dans les cinq premiers.

6 Transpose ce texte au passé en faisant alterner l'imparfait et le passé simple.

Lorsque Molière crée *créa* *Les Fourberies de Scapin* en mai 1671, la pièce remporte *remporta* un faible succès et n'est *ne fut* jouée que dix-huit fois du vivant de l'auteur. À cela deux explications : les acteurs portent *portaient* un masque et jouent *jouaient* à la manière des acteurs italiens. Cela ne correspond *correspondait* pas aux habitudes du public parisien. Ensuite, la scène du Palais-Royal est *fut était* en travaux et les décors sont *furent étaient* très simples.

7 Conjugue au temps voulu les verbes encadrés.

Un jour que je l'ACCOMPAGNER _____ pour aller chez la jeune Égyptienne, nous ENTENDRE _____ quelques plaintes mêlées de beaucoup de sanglots. Nous DEMANDER _____ ce que c'ÊTRE _____ . Une femme nous DIRE _____ que nous pouvions voir là quelque chose de pitoyable. Nous ENTRER _____ dans une salle où nous VOIR _____ une vieille femme mourante et une jeune fille en larmes. Malgré cela, elle BRILLER _____ de mille feux : je TOMBER _____ immédiatement sous son charme.

D'après Molière, *Les Fourberies de Scapin*, acte I, scène 2.

8 Expression écrite

À ton tour, rédige le récit d'une rencontre qui t'a particulièrement marqué. Tu utiliseras en alternance l'imparfait et le passé simple.

Les emplois du conditionnel

Je me souviens

Monsieur Jourdain. – Je voudrais donc lui mettre dans un billet : Belle marquise, vos beaux yeux me font mourir d'amour ; mais je voudrais que cela fût mis d'une manière galante.

Molière, *Le Bourgeois gentilhomme*, acte II, scène 4.

Observe le texte et réponds aux questions.

Souligne la forme verbale (utilisée deux fois) au conditionnel simple.

Mets cette forme au présent de l'indicatif. → ....

La phrase change-t-elle de sens si tu utilises l'indicatif présent ? → ....

Quelle différence vois-tu ? → ....

Je retiens

Le conditionnel a différents emplois.

➤ **Le futur dans le passé** : le conditionnel remplace le futur dans les textes au passé.

*Je <u>pense</u> qu'il **viendra**. → Je <u>pensais</u> qu'il **viendrait**.*

➤ **L'affirmation atténuée** : le conditionnel permet de présenter une demande, un souhait, un regret de façon plus polie.

*Je **voudrais** lui envoyer un billet. • **Auriez**-vous une minute à m'accorder ?*

➤ **L'information non confirmée** : une information transmise au conditionnel n'est pas officielle. On peut aussi utiliser le conditionnel pour souligner le caractère invraisemblable d'une interrogation ou d'une exclamation.

*Un incendie **aurait dévasté** une forêt. • Il **serait parti** sans nous prévenir ?*

➤ **Une situation imaginaire, souvent envisagée par jeu.**

*Je **ferais** le tour du monde. • J'**irais** sur la Lune. • Tu **serais** le prince et moi la princesse…*

➤ **Une hypothèse ou une action soumise à une condition** : le conditionnel s'utilise alors lorsque la condition est exprimée par *si* suivi de l'imparfait ou par un GN *(voir fiche 30)*.

*Au cas où nous **serions** en retard, les clés seront sous le paillasson.* → hypothèse

*Si le temps se dégageait, nous **partirions** en promenade.* → action soumise à une condition

Je m'entraîne

 Réécris ces phrases en mettant les verbes soulignés à l'imparfait. Tu devras exprimer le futur dans le passé dans la deuxième partie de la phrase.

Ex. : Je <u>sais</u> qu'il sera content. → Je <u>savais</u> qu'il serait content.

1. Nous <u>espérons</u> que tu viendras nous voir. → ....

2. J'<u>imagine</u> que tu arriveras assez tard. → ....

3. Octave <u>se demande</u> quand son père reviendra. → ....

....

4. M. Jourdain <u>pense</u> que la marquise appréciera sa lettre. → ....

....

2 Indique si les conditionnels soulignés expriment une affirmation atténuée ou une information non confirmée.

1. Serions-nous en retard ?　　　　　　　　→ ....

2. Son avion aurait une heure de retard.　　→ ....

3. Nous ne voudrions pas vous déranger.　　→ ....

3 Indique si les conditionnels soulignés expriment une situation imaginaire ou une action soumise à une condition.

1. Je volerais comme un oiseau et j'irais te rejoindre chaque soir. → ....

2. Si j'étais à ta place, je partirais très tôt. → ....

3. Sans ton aide, je ne serais pas arrivé au bout de ce projet. → ....

4 Réécris ces phrases en mettant à l'imparfait le verbe souligné, qui exprime une condition.

1. Si tu arrives avant la nuit, nous pourrons sortir un peu.

→ ....

2. Si la marquise reçoit ce billet, elle sera très étonnée.

→ ....

3. Je viendrai avec toi si mes parents me le permettent.

→ ....

5 Transforme ces phrases de façon à exprimer une information non confirmée.

1. Sa voiture est tombée en panne. → ....

2. La tempête fait rage dans toute la région. → ....

3. Notre équipe a remporté la victoire. → ....

4. Ce spectacle remporte un énorme succès. → ....

6 Transforme ces phrases en utilisant le conditionnel d'affirmation atténuée.

1. As-tu envie de faire une promenade ? → ....

2. Il m'a menti ? → ....

3. Veux-tu boire un verre d'eau ? → ....

4. Je ne veux pas rester longtemps. → ....

7 Souligne les verbes au conditionnel puis précise leur emploi.

1. Si j'avais le temps, j'irais au cinéma chaque jour. → ....

2. Je ne voudrais pas vous déranger. → ....

3. Je ne pensais pas qu'il arriverait si vite. → ....

4. Le beau temps durerait encore toute la semaine. → ....

5. Au cas où tu ne le saurais pas encore, nous sommes en automne ! → ....

8 Expression écrite

Rédige un texte qui commencera par : « Si j'étais… » À toi de choisir le thème !
Tu rédigeras ce texte au conditionnel, en expliquant ce que tu ferais si cette condition
était réalisée. Voici quelques idées si tu manques d'imagination : si j'étais un animal,
un personnage de bande dessinée, un personnage historique…

32 Les emplois des temps composés

MONSIEUR JOURDAIN. – Holà, Monsieur le Philosophe, vous <u>arrivez</u> tout à propos avec votre philosophie. Venez un peu mettre la paix entre ces personnes-ci.
MAÎTRE DE PHILOSOPHIE. – Qu'est-ce donc? Qu'y a-t-il messieurs?
MONSIEUR JOURDAIN. – Ils *se sont mis* en colère pour la préférence de leurs professions, jusqu'à se dire des injures et vouloir en venir aux mains.

Molière, *Le Bourgeois gentilhomme*, acte II, scène 3.

Observe le texte et réponds aux questions.

À quel temps est le verbe souligné ? → ....

À quel temps est le verbe en vert ? Explique pourquoi. → ....
....
....

Je retiens

A L'ANTÉRIORITÉ

Les temps composés s'utilisent pour une **action** qui a eu lieu **avant une autre**.
On dit que cette action est **antérieure** à l'action exprimée à un temps simple.

- Le **passé composé** exprime l'antériorité par rapport au **présent**.
- Le **plus-que-parfait** exprime l'antériorité par rapport à l'**imparfait** ou au **passé simple**.
- Le **passé antérieur** exprime l'antériorité par rapport au **passé simple**.
- Le **futur antérieur** exprime l'antériorité par rapport au **futur** ou à l'**impératif présent**.
- Le **conditionnel composé** exprime l'antériorité par rapport au **conditionnel simple**.

REMARQUE Dans le **langage courant** et le **langage oral**, le passé composé s'utilise à la place du **passé simple** avec les mêmes valeurs.

B L'ASPECT ACCOMPLI

- Les temps composés présentent des faits achevés, cela s'appelle l'**aspect accompli**.
- Cet aspect existe même si aucune autre action n'est exprimée à un temps simple.
  *Demain, j'**aurai** entièrement **rangé** mon placard.* → L'action n'a pas encore eu lieu, mais on envisage le moment où elle sera accomplie.

C LES VALEURS MODALES

- Le **passé composé** peut exprimer une **condition susceptible de se réaliser**.
  *Si tu **as fini** assez tôt, viens me rejoindre.*
- Le **plus-que-parfait** peut exprimer une **condition qui ne s'est pas réalisée dans le passé**.
  *Si tu **avais entendu** sa voix, tu aurais été émerveillé.*
- Le **conditionnel composé** peut exprimer une **action qui ne s'est pas réalisée dans le passé**. Très souvent, il s'agit d'une action qui était **soumise à une condition exprimée au plus-que-parfait**, parfois la condition est sous-entendue.
  *Si tu **avais attendu** un peu, tu **aurais assisté** à un beau spectacle.*
- Le **conditionnel composé** peut aussi exprimer une **action passée incertaine**.
  *Il **aurait renoncé** à ce poste.*
- Le **futur antérieur** peut exprimer une **action incertaine ou supposée**.
  *Il n'est pas encore là: il **aura raté** son train.* (= il a sans doute raté son train).

1 **Surligne les temps composés et souligne les temps simples correspondants.**

1. Dès que tu as fini, tu me rejoins.

2. Les maîtres s'étaient déjà disputés lorsque le philosophe arriva.

3. Dès que tu seras arrivée, téléphone-moi.

2 **Transforme ces phrases de façon à exprimer l'aspect accompli.**

Ex.: Il arrive par le dernier train. → Il est arrivé par le dernier train.

1. Il se baigne chaque jour. → ....

2. Il patientait sans protester. → ....

3. Il partira demain. → ....

3 **Conjugue le verbe encadré au temps composé voulu pour exprimer l'antériorité.**

1. Monsieur Jourdain prendra sa leçon quand les maîtres ARRIVER ....

2. Elle regarda encore ce film qu'elle VOIR .... déjà plusieurs fois.

3. Je comprends que j' COMMETTRE .... une erreur.

4 **Indique le temps et la valeur modale des formes verbales soulignées.**

1. Si tu as bien écouté, tu comprendras facilement. → ....

2. Paul n'est pas venu à la réunion: il aura oublié. → ....

3. Si j'avais eu plus de temps, je serais passée te voir. → ....

....

5 **Réécris deux fois la phrase suivante en mettant le verbe souligné à l'imparfait et au plus-que-parfait et en faisant les modifications nécessaires.**

Si tu commences ce livre, tu ne pourras plus le lâcher.

→ ....

→ ....

6 **Souligne les verbes conjugués à un temps composé, puis indique leur temps et justifie leur emploi.**

1. Il m'a téléphoné hier. → ....

2. Si tu as fini avant la fin de la semaine, ce sera parfait. → ....

3. Quand il aura terminé, il t'appellera. → ....

4. Il aurait accepté la proposition. → ....

5. Il n'est pas rentré: il se sera perdu en chemin. → ....

....

7 Expression écrite

T'es-tu trouvé, comme Monsieur Jourdain, obligé de calmer deux amis qui se disputaient? Raconte ce qui a provoqué l'incident et comment tu as réconcilié tes amis.
Tu feras un récit au passé composé puis tu utiliseras le plus-que-parfait pour des actions qui se sont déroulées dans un passé plus éloigné.

La différence entre l'indicatif et le subjonctif

Je me souviens

MONSIEUR JOURDAIN. – Suivez-moi, que j'<u>aille</u> montrer mon habit par la ville ; et surtout ayez soin tous deux de marcher immédiatement sur mes pas, afin qu'on <u>voie</u> bien que vous *êtes* à moi.

Molière, *Le Bourgeois gentilhomme*, acte III, scène 1.

Observe le texte et réponds aux questions.

À quel mode sont les verbes soulignés ? → ....

Les deux actions exprimées par ces verbes ont-elles déjà eu lieu ? → ....

À quel mode est le verbe en vert ? → ....

Exprime-t-il un fait réel ? → ....

Je retiens

A **LES EMPLOIS DE L'INDICATIF**

- L'indicatif s'utilise pour des **faits réels**, c'est le mode le plus utilisé.

- On l'emploie pour **décrire des lieux** ou **raconter des événements**.

- On le rencontre dans tous les types de propositions.

    *Le soleil **brillait**, les enfants **sortirent** et **allèrent** se baigner.*
    *Je t'**annonce** qu'il **est** bien **arrivé**.*

- Au **futur**, les faits ne se sont pas encore déroulés, mais on est sûr qu'ils auront lieu.

⚠ Dans certains cas, l'indicatif a alors une **valeur modale** *(voir fiches 29 à 32)*.

B **LES EMPLOIS DU SUBJONCTIF**

- Le subjonctif présente des faits relevant d'une **volonté**, d'un **souhait**, d'un **sentiment**, d'une **supposition**, d'une **possibilité**…

- On l'utilise dans des phrases simples pour exprimer un **ordre à la 3e personne** (qui n'existe pas à l'impératif) ou un **souhait**.

    *Qu'il **vienne** me voir. • Pourvu qu'il **fasse** beau demain.*

- Il se rencontre souvent **après** la conjonction ***que*** lorsque le verbe qui précède exprime un souhait, une obligation, un sentiment, une crainte… ou après des conjonctions telles que *pour que, afin que, bien que, avant que, jusqu'à ce que*…

    *Je souhaite qu'il **réussisse**. • Venez afin qu'on vous **voie**.*

Je m'entraîne

* 1 **Indique à quel mode sont les phrases suivantes et pourquoi.**

1. Il finit son repas.

2. Elle apprend le chinois.

3. Il aura le temps de venir.

4. Monsieur Jourdain sort avec ses laquais.

 MODE EMPLOYÉ ▸ ....

EXPLICATION ▸ ....

✱ 2 Réécris les phrases de l'exercice en les faisant précéder de : *Je souhaite que…*

1. ....
2. ....
3. ....
4. ....

✱✱ 3 Transforme ces phrases affirmatives en phrases injonctives au subjonctif.

1. Ils apprennent leur leçon. → ....
2. Elle va faire les courses. → ....
3. Ils font un gâteau pour le goûter. → ....
4. Il ne croit pas tout ce que l'on raconte. → ....

✱✱ 4 Indique le mode de chaque verbe souligné et justifie son emploi.

1. Nous avons vu une pièce de Molière. → ....
2. Supposons qu'il pleuve.　　　　　 → ....
3. Il faut que tu viennes vite.　　　　 → ....
4. J'aime me promener sous la pluie.　 → ....

✱✱ 5 Souligne les verbes au subjonctif et justifie leur emploi.

1. Pourvu qu'il soit là à temps !　　　　　　　 → ....
2. Qu'il parte vite !　　　　　　　　　　　　　 → ....
3. Nous ne voulions pas que le film se termine ainsi. → ....
4. Imaginons qu'il arrive en retard.　　　　　　 → ....

✱✱✱ 6 Complète ces propositions introduites par *que*. Si tu as utilisé un verbe à l'indicatif, souligne-le ; si le verbe est au subjonctif, encadre-le.

1. Monsieur Jourdain veut que ....
2. Mes parents affirment que ....
3. Tout le monde sait que ....
4. Imaginons que ....

✱✱✱ 7 Conjugue à l'indicatif ou au subjonctif les verbes entre parenthèses. Repère-les ensuite comme dans l'exercice 6.

NICOLE. – Que voulez-vous que je FAIRE .... , Monsieur ?

MONSIEUR JOURDAIN. – Que tu SONGER .... , coquine, à préparer ma maison pour la compagnie qui DEVOIR .... venir tantôt.

NICOLE. – Ah ! par ma foi ! je n' AVOIR .... plus envie de rire ; et toutes vos compagnies FAIRE .... tant de désordre céans que ce mot ÊTRE .... assez pour me mettre de mauvaise humeur.　　　　Molière, *Le Bourgeois gentilhomme*, acte III, scène 2.

✱✱✱ 8 Expression écrite

Nicole ne peut s'empêcher d'éclater de rire en voyant Monsieur Jourdain habillé de façon ridicule. Il t'est sans doute arrivé d'avoir, toi aussi, un fou rire incontrôlable. Raconte cet épisode à l'indicatif , puis utilise le subjonctif pour expliquer tes craintes concernant les conséquences de ce fou rire.

34

Les emplois de l'infinitif

Je me souviens

LÉANDRE. – Voudrais-tu m'<u>abandonner</u>, Scapin, dans la cruelle extrémité où se voit mon amour ?

SCAPIN. – Me <u>venir</u> <u>faire</u> à l'improviste un affront comme celui-là !

LÉANDRE. – J'ai tort, je le confesse.

SCAPIN. – Me <u>traiter</u> de coquin, de fripon, de pendard, d'infâme !

Molière, *Les Fourberies de Scapin*, acte II, scène 4.

Observe le texte et réponds aux questions.

À quel temps et à quel mode sont les verbes soulignés ? → ....

Donne la fonction grammaticale du premier verbe souligné. → ....

Dans quel type de phrase se trouvent les deux autres verbes ? → ....

Ces phrases comportent-elles un verbe conjugué ? → ....

Je retiens

A L'INFINITIF À VALEUR DE NOM

- L'infinitif peut avoir les **mêmes fonctions qu'un GN** *(voir fiches 7, 8, 9 et 11)*.
- L'infinitif est souvent enrichi de compléments, il est alors **noyau d'un groupe infinitif**.
  *J'aime **lire**.* → COD • ***Après avoir déjeuné**, il est parti.* → CCT

B L'INFINITIF À VALEUR DE VERBE

- Il peut avoir une **valeur d'impératif** (consignes écrites, recettes de cuisine).
  ***Laisser** reposer la pâte.*
- Il peut exprimer l'**indignation** dans une **phrase exclamative**. *Me **traiter** de coquin !*
- Il peut exprimer le **doute** ou l'**hésitation** dans une **interrogation directe ou indirecte**.
  *Que **faire** ? • Je ne sais **que faire**.*

C L'EMPLOI DES TEMPS DE L'INFINITIF

- L'infinitif a deux temps : le **présent** et le **passé** *(voir fiche 27)*.
- L'infinitif passé s'utilise pour situer l'action **avant les autres actions** de la phrase.
- L'infinitif présent pour situer l'action **en même temps** ou **après les autres actions**.
  *Il pense **avoir réussi**. • Il pense **venir** demain.*

⚠ L'infinitif existe à la voix active et à la voix passive.

Je m'entraîne

* 1 Indique le temps des infinitifs soulignés et justifie leur emploi.

1. Je suis sûre de l'<u>avoir</u> vu. → ....

2. Déjeune avant de <u>partir</u>. → ....

3. Nous visitons la région pour <u>acheter</u> une nouvelle maison. → ....

★★ 2 Indique la valeur des infinitifs et le type des phrases.

1. Oser me demander cela ! → ....

2. Verser 200 grammes de farine dans un saladier. → ....

3. Ne pas se pencher par la fenêtre. → ....

4. Comment sortir de cette forêt ? → ....

★★ 3 Donne la fonction grammaticale des groupes à l'infinitif soulignés.

1. Il est venu pour te voir. → ....

2. Souffler n'est pas jouer. → ....

3. Ce n'est pas le moment de rire. → ....

4. Elle a acheté cette voiture après avoir longtemps hésité. → ....

★★★ 4 Souligne les infinitifs, puis indique s'ils ont la valeur d'un verbe ou d'un nom en précisant laquelle.

1. Il ne veut pas bouger. → ....

2. Ne pas abuser de ce médicament. → ....

3. Je ne sais quoi penser. → ....

4. Refuser une telle offre est ridicule. → ....

5. Me répondre sur ce ton ! → ....

6. Ferme bien la porte avant de partir. → ....

7. Bien nettoyer l'appareil après l'avoir utilisé. → ....

8. Où aller par un temps pareil ? → ....

★★★ 5 a) Transforme les phrases en mettant le verbe à l'infinitif, puis précise la valeur de cet infinitif.

1. Faites l'exercice numéro 4. → ....

2. Vous prendrez la première à droite. → ....

3. Je ne sais pas comment on écrit ce mot. → ....

b) Analyse la proposition : *comment écrire ce mot.* → ....

★★★ 6 Utilise les formes d'infinitif dans des phrases de ton choix qui respecteront la consigne. *Ex. : chanter* COD → *j'aime chanter* ou INDIGNATION → *Lui chanter, jamais !*

1. partir SUJET → ....

2. marcher IMPÉRATIF → ....

3. regarder COMPLÉMENT DU NOM → ....

4. dire HÉSITATION → ....

5. avoir dit CCT → ....

6. mentir INDIGNATION → ....

★★★ 7 Expression écrite

Imagine un dialogue entre deux amis illustrant la situation suivante : l'un veut demander un service, l'autre répond par des phrases à l'infinitif traduisant son indignation. Inspire-toi du petit dialogue en début de fiche et de toute la scène 4 de l'acte II des *Fourberies de Scapin*.

Les emplois du participe

Je me souviens

SCAPIN. – Un jeune Turc de bonne mine nous a invités […]. Nous avons <u>mangé</u> les fruits les plus excellents qui se puissent voir, et <u>bu</u> du vin que nous avons trouvé le meilleur du monde.

GÉRONTE. – Qu'y a-t-il de si <u>affligeant</u> à tout cela ?

SCAPIN. – Attendez, Monsieur, nous y voici. Pendant que nous mangions, il a fait mettre la galère en mer, et, se <u>voyant</u> éloigné du port, il m'a fait mettre dans un esquif…

Molière, *Les Fourberies de Scapin*, acte II, scène 7.

Observe le texte et réponds aux questions.

Indique le temps des participes soulignés. → ....

Lesquels entrent dans la formation d'un temps composé ? → ....

Lequel pourrait être remplacé par l'adjectif *triste* ? → ....

Je retiens

A — LE PARTICIPE UTILISÉ POUR LA FORMATION DES TEMPS COMPOSÉS

- Le **participe passé** permet de former les **temps composés de la voix active**.
- Il s'utilise pour **tous les temps de la voix passive**.

B — LE PARTICIPE NOYAU D'UN GROUPE PARTICIPIAL

- Un **participe enrichi de compléments** est le noyau d'un groupe participial.
- Il constitue une expansion d'un nom ou d'un pronom dont il est **épithète**.
  S'il est séparé du nom ou du pronom par une virgule, il est appelé **épithète détachée**.
- Il a parfois le **même sens** qu'une **proposition relative**.
  Courant (= qui court) *tous les matins, mon père est en grande forme.*

⚠️ À la voix active, le participe est invariable, mais à la voix passive, le participe, souvent utilisé seul, s'accorde avec le nom qu'il complète.
  ***Ayant quitté** leur travail très tard, nos amis n'ont pas vu le début du spectacle.* (voix active)
  *Les vacances **(étant) terminées**, nous faisons nos bagages.* (voix passive)

C — LE GÉRONDIF

- On appelle ainsi le **participe présent actif** précédé de la préposition *en*. Il est **invariable**.
- Sa fonction est **complément circonstanciel** (de temps, cause, manière…).
- Son sujet est le même que celui du verbe conjugué de la phrase.
  ***En sortant** du collège, j'ai rencontré un ami.*

D — L'ADJECTIF VERBAL ET LE PARTICIPE PASSÉ UTILISÉS COMME ADJECTIFS

- L'**adjectif verbal** est le participe présent actif utilisé sans aucun complément.
- Il n'a plus aucune valeur verbale et peut être remplacé par un simple adjectif.
  Dans ce cas, il **s'accorde en genre et nombre** avec le nom qu'il complète.
- Il peut être **épithète** ou **attribut** (alors que le participe présent n'est jamais attribut).
  *Cette petite chienne est très **obéissante**.*
- La forme abrégée du participe passé passif peut être utilisée de la même façon.
  *Les Fourberies de Scapin est ma pièce **préférée**.*

Je m'entraîne

1 **Souligne les participes ayant une forme verbale conjuguée et surligne les autres.**

1. J'ai trouvé mon petit frère caché derrière un arbre.

2. Ayant raté son train, elle est rentrée chez elle.

3. J'ai passé une soirée très amusante en ta compagnie.

2 **Remplace les propositions relatives soulignées par un groupe participial.**

1. Les enfants qui ont pris un très long bain vont maintenant se reposer.

→ ....

2. Je l'ai vue qui sortait de chez elle. → ....

3. J'aimerais trouver un manteau qui irait bien avec mes nouvelles bottes.

→ ....

3 **Remplace le groupe CC souligné par un gérondif, puis précise sa fonction complète.**
Ex.: Quand il est entré, il a souri à tout le monde. → en entrant (CCT)

1. Il écoute de la musique quand il fait ses devoirs. → ....

2. Tu feras des progrès avec des exercices réguliers. → ....

3. Il s'est enfui parce qu'il a entendu des cris. → ....

4 **Classe le participe souligné dans la bonne colonne.**

	NOYAU D'UN GROUPE	ADJECTIF
1. Surpris par la marée, il est rentré à la nage.	☐	☐
2. Ce phénomène est très courant.	☐	☐
3. Prétextant une forte migraine, il n'est pas venu.	☐	☐
4. Ton pneu arrière est crevé.	☐	☐
5. J'aime beaucoup le pain croustillant.	☐	☐

5 **Accorde quand il le faut le participe.**

1. Les spectateurs arrivant.... en retard ne seront pas accepté....

2. Vous gagnerez du temps en payant.... par carte bancaire.

3. Les entrées de ce parc sont payant.....

4. Travaillant.... trop tard le soir, les enfants sont fatigué.....

6 **Souligne tous les participes, puis indique s'ils sont verbe conjugué, noyau d'un groupe, gérondif ou adjectif. Tu dois relever sept participes.**

1. Molière a écrit cette pièce en s'inspirant de Térence. → ....

2. Argante, en rentrant, a choisi une épouse pour son fils. → ....

3. Octave, étant tombé amoureux, a épousé une autre jeune fille. → ....

....

4. Scapin, le valet d'Octave, a toujours des idées très amusantes. → ....

7 Expression écrite

Pour te sortir d'une mauvaise situation, as-tu un jour, toi aussi, eu recours à une ruse ou à un mensonge ? Raconte ou imagine une anecdote sur ce thème. Tu souligneras ensuite tous les participes que tu auras utilisés.

Comment distinguer les formes homophones de l'indicatif et du subjonctif

Certaines formes du subjonctif présent peuvent être confondues avec le présent ou l'imparfait de l'indicatif. Certaines formes sont seulement homophones ; d'autres sont homographes, c'est-à-dire qu'elles ont aussi la même orthographe. Il faut savoir les différencier.

Quelles sont les formes homographes du subjonctif présent ?

Les formes homographes du présent et de l'imparfait de l'indicatif et du subjonctif présent sont les suivantes.

- La 1re et la 2e personne du pluriel de l'imparfait de l'indicatif, sauf pour certains verbes irréguliers : *nous chantions* / *que nous **chantions*** • *nous savions* / *que nous **sachions***.
- Le singulier du présent de l'indicatif des verbes du 1er groupe : *j'appelle* / *que j'**appelle***.
- Le singulier du présent de l'indicatif des verbes du 3e groupe ayant un présent en *-e* : *j'ouvre* / *que j'ouvre*.
- La 3e personne du pluriel du présent de l'indicatif de tous les groupes (sauf quelques verbes irréguliers comme *pouvoir*) : *ils prennent* / *qu'ils **prennent*** • **mais** : *ils peuvent* / *qu'ils **puissent***.

Quelles sont les formes homophones du subjonctif présent ?

- On trouve ces formes au singulier du présent de l'indicatif de certains verbes du 3e groupe (*croire, voir, rire*…) : *il voit* / *qu'il **voie*** • *je ris* / *que je **rie***.

Comment ne pas les confondre ?

- Il faut d'abord **observer la phrase** : tu ne dois hésiter que si la forme est précédée de *que*.

  *Il croit **tout ce que** tu lui dis.* → indicatif • *Il faut que tu me **croies**.* → subjonctif

- Si la forme est précédée de *que*, tu peux la **remplacer par un verbe** comme *pouvoir, être, savoir*… dont le subjonctif présent se forme sur un radical différent.

  Je pense qu'il voit très bien. → *Je pense qu'il **peut** voir.* (indicatif)
  J'aimerais que tu le voies. → *J'aimerais que tu **puisses** le voir.* (subjonctif)

- Réfléchis aussi au **sens de la phrase**. Rappelle-toi que le subjonctif s'utilise pour des faits voulus, souhaités, incertains et l'indicatif pour des faits réels.

  *Je veux qu'ils **viennent**.* → subjonctif (action voulue)
  Je sais qu'ils viennent. → indicatif (action réelle)

À retenir

Seules les **formes précédées de *que*** peuvent être confondues. Dans ce cas, si la forme verbale **peut être précédée de *puisse***, il s'agit d'un **subjonctif**.

Applique la méthode

1 Classe les formes suivantes dans la (ou les) bonne(s) colonne(s). ⚠ **Aucune forme n'est précédée de que.** Nous chantions • nous pouvions • vous croyiez • nous étions • vous ayez • vous finissiez • nous pliions • vous sachiez • vous puissiez • vous jouiez • nous soyons.

IMPARFAIT DE L'INDICATIF	PRÉSENT DU SUBJONCTIF

2 **Même exercice.** Il chante • nous suivons • vous puissiez • ils vont • ils aillent • ils finissent • ils prennent • il court • nous voyions • tu coures • ils soient • je croie • j'ouvre • j'aie • il a • ils veuillent • ils peuvent.

PRÉSENT DE L'INDICATIF	PRÉSENT DU SUBJONCTIF

3 **Indique si la forme soulignée est au présent de l'indicatif ou du subjonctif.**

1. Il m'appelle tous les jours. → ....

2. Je veux que tu m'appelles tous les jours. → ....

3. Réponds lorsque je t'appelle. → ....

4. Reposons-nous pendant qu'ils jouent. → ....

5. Il faut qu'ils jouent plus souvent ensemble. → ....

6. Nous souhaitons tous qu'ils viennent. → ....

4 **Indique si la forme soulignée est à l'imparfait de l'indicatif ou au présent du subjonctif.**

1. Nous nous écrivons souvent. → ....

2. Je souhaite que nous nous écrivions plus souvent. → ....

3. Elle savait que nous écrivions un journal de bord. → ....

4. Il savait que nous allions en Angleterre. → ....

5. Où voulez-vous que nous allions ? → ....

6. Il est venu pendant que nous allions à la gare. → ....

5 **Choisis l'orthographe correcte et justifie ton choix.**
Ex. : Il faut que tu voies / ~~vois~~ cela. → Il faut que tu puisses voir.

1. Je sais qu'il court / coure vite. → ....

2. Nous voudrions que tu nous crois / croies. → ....

3. Molière aimait que le spectateur rie / rit en voyant ses pièces. → ....
....

4. À chaque fois que tu ris / ries, tout l'immeuble t'entend. → ....
....

6 **Conjugue le verbe à l'infinitif, puis indique le temps et le mode que tu as employés.**

1. Je vais l'appeler pour qu'il te VOIR .... → ....

2. C'est un film que je VOIR .... toujours avec plaisir. → ....

3. Je ferme la porte pour que le chien ne S'ENFUIR .... pas. → ....

4. Je ne savais pas que vous PARTIR .... si tôt. → ....

5. Je tiens à ce que vous PARTIR .... très tôt. → ....

6. Nous ne voulons pas que cette plante MOURIR .... → ....

7. Je pensais que vous CRAINDRE .... la pluie. → ....

8. J'étais étonnée que vous CRAINDRE .... le mauvais temps. → ....

Je sais distinguer les emplois d'un temps

1 **Justifie l'emploi des présents et des futurs soulignés.** ...... / 6 points

1. Chaque matin Monsieur Jourdain <u>prend</u> un cours de danse. ▶ ....

....

2. Monsieur Jourdain prenait son cours de chant, soudain le maître d'armes <u>arrive</u>. ▶ ....

....

3. « La marquise me <u>rend</u> visite demain. » ▶ ....

....

4. « Nicole, tu <u>nettoieras</u> la maison avant l'arrivée des maîtres. » ▶ ....

....

5. Si Monsieur Jourdain <u>prête</u> de l'argent à Dorante, sa femme <u>sera</u> furieuse. ▶ ....

....

....

2 **Conjugue le verbe entre parenthèses au passé simple ou à l'imparfait.** ...... / 4 points

1. Molière `CRÉER` .... *Les Fourberies de Scapin* en 1671.

2. Cette pièce n' `AVOIR` .... pas d'autre ambition que de faire rire.

3. Elle ne `REMPORTER` .... pas un vif succès.

4. Les acteurs `PORTER` .... un masque comme les acteurs italiens.

3 **Justifie l'emploi des conditionnels soulignés.** ...... / 4 points

1. Octave pensait que son père <u>reviendrait</u> plus tard. ▶ ....

2. S'il apprenait le mariage d'Octave, Argante <u>serait</u> furieux. ▶ ....

3. Zerbinette <u>serait</u> d'origine égyptienne. ▶ ....

4. <u>Pourriez</u>-vous lui venir en aide ? ▶ ....

4 **Barre la forme incorrecte.** ...... / 2 points

1. Tu sais que je serai / serais là.

2. Si je pouvais, je t'aiderai / aiderais.

3. Je pensais que Scapin les aiderait / aideraient.

4. Si cette fourberie réussit, je serais / serai sauvé.

5 **Indique le temps et justifie l'emploi des formes composées soulignées.** ...... / 4 points

1. Si Scapin ne les <u>avait pas aidés</u>, les deux jeunes gens <u>auraient eu</u> de graves ennuis. ▶ ......

....

....

2. Il est très en retard : il se <u>sera attardé</u> pour admirer le paysage. ▶ ....

....

....

3. Dès que son père <u>aura regagné</u> son logis, les ennuis commenceront. ▶ ....

....

....

Je sais distinguer les emplois d'un mode

1 Indique le mode des formes soulignées et justifie leur emploi. ...... / 5 points

1. Nous savons tous que Molière s'appelle Jean-Baptiste Poquelin. ▶ ....
2. Argante ne veut pas qu'Octave épouse Hyacinte. ▶ ....
3. Que l'on m'apporte mon habit. ▶ ....
4. J'apprends que mon père arrive au port. ▶ ....
5. Il faudrait que Scapin aide Octave et Léandre. ▶ ....

2 Conjugue les verbes encadrés à l'indicatif ou au subjonctif et précise ce mode.

...... / 5 points

1. Je ne veux pas que mon père **SAVOIR** .... que je **ÊTRE** .... marié. ▶ ....
....
2. Monsieur Jourdain souhaite que sa famille **VOIR** .... son nouvel habit. ▶ ....
3. Quand il voit que tout le monde **RIRE** .... de lui, il se met en colère. ▶ ....
4. Il exige que sa femme **ALLER** .... chez sa sœur. ▶ ....

3 Place les infinitifs soulignés dans la bonne case puis complète le tableau. ...... / 5 points

1. « À quel remède recourir ? » se demande Octave.
2. Ce n'est pas le moment de pleurer.
3. Me jouer un pareil tour ! C'est honteux !
4. Veux-tu m'abandonner ?
5. Ne surtout pas dire la vérité à mon père !

INFINITIFS À VALEUR DE NOMS	FONCTION	INFINITIFS À VALEUR DE VERBES	VALEUR EXPRIMÉE

4 Précise à quel emploi correspondent les participes soulignés. ...... / 3 points

1. Votre père est arrivé au port. ▶ ....
2. Zerbinette est une jeune fille très touchante. ▶ ....
3. Ne possédant rien, elle vit dans une pauvre maison. ▶ ....
4. *Les Fourberies de Scapin* est une pièce très connue. ▶ ....
5. Pourquoi est-il allé sur une galère ? ▶ ....
6. Ayant inventé de nombreuses ruses, Scapin a sauvé son maître. ▶ ....

5 Souligne les gérondifs, puis indique leur fonction. ...... / 2 points

1. Tu fermeras la porte en sortant. ▶ ....
2. J'aime me reposer en écoutant de la musique. ▶ ....
3. En conduisant si vite, tu risques de déraper. ▶ ....
4. Sois prudent en traversant. ▶ ....

Comprendre le vocabulaire des consignes

Il arrive souvent que l'on réponde mal à une question, non par ignorance mais parce que l'on a mal compris ou mal lu la consigne.

Les deux types de consignes

1. Les consignes injonctives

- Elles comportent un ou plusieurs verbes conjugués à l'**impératif**, à l'**infinitif** ou au **futur**.
- Tu dois **souligner** ces verbes, **réfléchir** à leur sens, puis **surligner les autres mots importants**.

  → *Indique la classe grammaticale et la fonction des mots soulignés.*

2. Les consignes interrogatives

- Tu **souligneras** également les **verbes** et les **mots interrogatifs**, tu **encadreras les mots importants**.
- N'oublie pas non plus qu'il faudra répondre à ces questions par des **phrases complètes qui reprennent l'énoncé de la question**. *Oui* ou *non* ne constituent pas une réponse suffisante et on ne commence pas une réponse par *parce que*.

  → *Pourquoi l'auteur a-t-il rédigé ce texte à l'imparfait ?*
  → *L'auteur a rédigé ce texte à l'imparfait parce qu'il décrit des actions habituelles.*

Les mots à ne pas confondre

1. Classe grammaticale et fonction

- Ces deux notions sont très souvent confondues. Souviens-toi que la **classe grammaticale** d'un mot **ne change pas**, alors que sa **fonction dépend du contexte**. Nom, GN, adjectif sont des classes grammaticales ; sujet et COD sont des fonctions.
- Rappelle-toi aussi que proposition subordonnée relative ou conjonctive est la **classe grammaticale de certains groupes de mots** (comportant un verbe conjugué) qui ont une **fonction**.

2. Temps et mode

- Si tu es interrogé sur le **temps**, tes réponses pourront être : **présent**, **futur**, **imparfait**… Au contraire, si la question porte sur le **mode**, ta réponse pourra être : **subjonctif**, **participe**, **indicatif**…
- On peut aussi te demander de **justifier l'emploi** d'un temps ou d'un mode.

3. Famille de mots et synonyme

- Un **synonyme** est un mot qui a le **même sens** qu'un autre et donc la **même classe grammaticale**.
- Un mot de la **même famille** a le **même radical**, mais n'a pas le même sens.

À retenir

Il ne faut jamais répondre trop vite, une consigne doit être analysée soigneusement et complètement.
Identifie bien le point de grammaire en cause avant de répondre.
Ainsi, tu ne perdras pas de temps et tu trouveras plus vite la bonne réponse.

J'applique la méthode

1 **Souligne les verbes et encadre les mots importants de ces consignes.**

1. Indique la classe grammaticale des mots ou groupes suivants.

2. Donne trois mots de la même famille que le mot souligné.

3. Justifier l'emploi du présent dans cette phrase.

4. Complète la phrase par un CC.

2 **Propose des réponses possibles à ces consignes interrogatives.**
Ex. : Peux-tu déplacer le mot souligné ? → Non, je ne peux pas déplacer le mot souligné.

1. Pourquoi le verbe de la phrase est-il au présent ? → ....

....

2. Combien ce verbe a-t-il de sujets ? → ....

3. Se souvenir et se rappeler sont-ils des synonymes ? → ....

4. Pourquoi le sujet est-il inversé ? → ....

....

3 **Voici des consignes et les réponses d'un élève : explique pourquoi elles sont fausses.**

1. Indique la classe grammaticale du mot souligné. Le mot souligné est sujet.
   → ....

2. À quel mode sont les verbes de cette phrase ? Ils sont au présent.
   → ....

3. Indique la fonction du groupe souligné. C'est un groupe nominal.
   → ....

4. Donne deux synonymes de *content*. Contenter, mécontent.
   → ....

4 **Relie les réponses aux consignes correspondantes.**

Il s'agit d'une description.	■	■ Indique la classe grammaticale du groupe.
Ce groupe est un GN.	■	■ Justifie l'imparfait utilisé ici.
L'action n'est pas réelle.	■	■ Justifie l'emploi du subjonctif.
C'est une proposition indépendante.	■	■ Indique la nature de la proposition.

5 **Retrouve les consignes données pour les réponses suivantes.**
*J'**aimerais** que tu lises ce roman très intéressant [que t'a sœur m'a offert pour mon anniversaire].*

1. Romancer, romancier, romanesque.
   → ....

2. Il s'agit d'une action souhaitée mais qui n'est pas réelle.
   → ....

3. Il est au superlatif absolu.
   → ....

4. Elle est complément de l'antécédent *roman*.
   → ....

5. Il est au conditionnel simple.
   → ....

Je me souviens

C'est un trou de <u>verdure</u> où chante une rivière
Accrochant <u>follement</u> aux herbes des haillons
D'argent ; où le **soleil** de la montagne fière,
Luit : c'est un petit **val** qui mousse de rayons.

Arthur Rimbaud, « Le dormeur du val » (1870).

Observe le texte et réponds aux questions.

Donne la classe grammaticale des deux mots soulignés. → ....

....

Trouve les deux adjectifs qui constituent le radical de ces mots. → ....

....

Trouve deux mots de la même famille que les mots en vert. → ....

Qu'as-tu utilisé pour constituer ces mots ? → ....

Je retiens

A QU'EST-CE QUE LA DÉRIVATION ?

- La dérivation est la création d'un **mot nouveau** à partir d'un **radical** ou d'un **mot simple**.
- On ajoute un préfixe et/ou un suffixe à ce radical (ou mot simple). Le **préfixe** se place **avant** le radical, le **suffixe**, **après**.
- On appelle **famille de mots** l'ensemble des mots **formés sur le même radical**.

  Soleil est un mot simple, *en|soleil|ler* est un mot dérivé.
  Soleil, ensoleiller, ensoleillement appartiennent à la même famille de mots.

B À QUOI SERVENT LES PRÉFIXES ET LES SUFFIXES ?

- Les **préfixes** permettent de **modifier le sens** du radical ou du mot simple.
- Les **suffixes** permettent de **changer la classe grammaticale**.
- Les préfixes et les suffixes permettent parfois de **changer le genre ou le sens**.

  *Certain → **in**|certain* : le préfixe *in-* a un sens négatif.
  *Certaine|**ment*** : le suffixe *-ment* forme un adverbe à partir d'un adjectif.
  *Prince → princ|**esse*** : le suffixe change le genre.
  *Maison → maisonn|**ette*** : le suffixe a un sens diminutif.

C QU'EST-CE QUE LA COMPOSITION ?

- La composition est la création d'un mot nouveau par l'association de **deux mots** ou **deux radicaux**.
- Un mot composé s'écrit en **un ou deux mots** (liés ou non par un trait d'union).
- Les deux mots peuvent être **reliés par une préposition**.

  Monologue : association de deux radicaux grecs.
  Chausse-pied : verbe + nom liés par un trait d'union.
  Machine à laver : nom + verbe liés par une préposition.

Je m'entraîne

★ 1 **Classe ces mots dérivés dans la bonne colonne, puis isole les différents éléments qui composent chaque mot.** Médire • impossible • exporter • emporter • inégal • irréel • malhonnête • vraiment • imprudent • prudemment • invraisemblable • floraison.

MOTS AVEC PRÉFIXE	MOTS AVEC SUFFIXE	MOTS AVEC PRÉFIXE ET SUFFIXE
....	....	....
....	....	....

★ 2 **Ajoute un préfixe à ces mots pour en modifier le sens.**

1. régulier → ....
4. content → ....
2. porter → ....
5. faire → ....
3. venir → ....
6. prendre → ....

★★ 3 **Ajoute un suffixe à ces adjectifs pour obtenir un nom.**

1. grand → ....
4. méchant → ....
7. sot → ....
2. beau → ....
5. rouge → ....
8. fier → ....
3. gentil → ....
6. petit → ....
9. intelligent → ....

★★ 4 **Remplace le suffixe de ces verbes par un suffixe de nom.** *Ex. : lav|er → lav|age.*

1. glisser → ....
4. briller → ....
7. finir → ....
2. enlever → ....
5. chanter → ....
8. noircir → ....
3. jouer → ....
6. animer → ....
9. couper → ....

★★ 5 **Ajoute à ces noms un suffixe diminutif.**

1. maison → ....
4. âne → ....
2. jardin → ....
5. fille → ....
3. lion → ....
6. bûche → ....

★★ 6 **Regroupe les mots en trois familles.** Apport • pliure • coureur • déplier • course • plier • exporter • rapporteur • pli • accourir • porter • recourir • transporteur • pliage • courir.

> FAMILLE 1 ▸ ....
> FAMILLE 2 ▸ ....
> FAMILLE 3 ▸ ....

★★★ 7 **Indique la classe grammaticale des mots qui constituent ces noms composés.**

1. abat-jour → ....
3. bonhomme → ....
5. laissez-passer → ....
2. sans-abri → ....
4. tire-bouchon → ....
6. machine à laver → ....

★★★ 8 **Après avoir recherché et indiqué le sens des mots composés suivants, tu expliqueras ce sens à partir de chacun des mots qui les composent.**

1. Poivre et sel (cheveux) → ....

2. Le qu'en-dira-t-on → ....

....

★★★ 9 **Expression écrite**

Choisis un des mots composés de l'exercice 8 puis rédige un court paragraphe où tu l'utiliseras.

L'histoire des mots

Je me souviens

Mignonne, allons voir si la rose
Qui ce matin avait *déclose*
Sa robe de pourpre au Soleil

A point perdu cette *vêprée*
Les plis de sa robe pourprée
Et son teint au vôtre pareil.

Pierre de Ronsard, « Ode à Cassandre » (1550).

Essaie de deviner le sens des mots en vert.

● *Déclose* (pense aux expressions *les œufs sont éclos, une fleur à peine éclose*) → ....

● *Vêprée* (cherche dans le dictionnaire le sens de l'adjectif *vespéral*) → ....

Complète maintenant la phrase suivante.

Au XVIᵉ siècle, on .... certains mots que l'on .... maintenant.

Je retiens

Rechercher l'**étymologie** d'un mot, c'est rechercher son **histoire**.

A D'OÙ VIENT LE FRANÇAIS ?

➤ Le **français** est le résultat d'une longue évolution pendant laquelle plusieurs langues se sont succédé.

➤ Le **latin** s'est imposé après la conquête de la Gaule par les Romains (Iᵉʳ s. avant J.-C.). L'**ancien français** lui a succédé au Moyen Âge, puis le **moyen français** et le **français classique** du XIVᵉ au XVIIIᵉ siècle, et enfin le **français moderne** depuis le XIXᵉ siècle.

B L'ÉVOLUTION PHONÉTIQUE

➤ Le latin parlé en Gaule fut déformé par les Gaulois auxquels il était imposé. Des mots différents se sont ainsi créés : c'est la **formation populaire**.

➤ Quelques mots sont passés directement en français : *agenda, alibi…*

C LES EMPRUNTS À D'AUTRES LANGUES

➤ Certains mots **gaulois** se sont maintenus (*moulin, ruche, chemin…*).

➤ Des mots **germaniques** se sont introduits à la suite des invasions (*jardin, gazon, guerre…*)

➤ On trouve aussi des mots **italiens** (surtout au XVIᵉ siècle), des mots arabes (*alcool, chiffre…*) et des mots **anglais** introduits plus tardivement et qui continuent à être empruntés (*pull over, week-end, parking…*).

D LES FORMATIONS SAVANTES

➤ Certains mots ont été formés à partir de radicaux latins ou grecs pour enrichir la langue. Ils forment parfois des **doublets** avec des mots de formation populaire.

Le mot latin *fragilis* a donné un mot de formation populaire : *frêle* et un mot de formation savante : *fragile*, beaucoup plus proche du latin.

E LES ÉVOLUTIONS DE SENS

➤ Une langue évolue aussi parce qu'un même mot change de sens au fil du temps.

Le mot *terrible* signifiait autrefois « *qui inspire de la terreur* » et signifie maintenant « *très grave* ».

* **1** **Complète ces séries en trouvant le mot de formation savante.**

MOT LATIN	MOT DE FORMATION POPULAIRE	MOT DE FORMATION SAVANTE
capillus	cheveu	
vitrum	verre	
hospitalis	hôtel	
strictum	étroit	
mobilis	meuble	
canis	chien	

** **2** **Relie ces noms gaulois de villes aux noms français actuels.**

Virodunum ▪   ▪ Lyon

Novioritum ▪   ▪ Rouen

Rotomagus ▪   ▪ Niort

Lugdunum ▪   ▪ Verdun

** **3** **Donne le sens de ces mots empruntés directement au latin.**

1. agenda   →   ....

2. post-scriptum →   ....

3. alibi   →   ....

....

** **4** **Voici des noms propres devenus noms communs. Indique le nom commun et son sens.**

1. Eugène Poubelle →   ....

2. Louis Béchamel →   ....

3. Abbé Clément   →   ....

** **5** **Les mots soulignés sont des mots anglais, trouve-leur un équivalent français.**

1. J'ai mis ma voiture au parking. →   ....

2. Chaque week-end, nous partons à la campagne. →   ....

3. Elle a changé de look. →   ....

** **6** **Les mots soulignés sont des mots français, trouve-leur un équivalent anglais.**

1. Chaque matin je prends deux tartines grillées. →   ....

2. J'aimais beaucoup la jeune fille qui me gardait l'an dernier. →   ....

3. J'aime beaucoup les films où les cow-boys se battent contre les Indiens. →   ....

*** **7** **Retrouve les marques qui ont utilisé les mots latins suivants dans leur publicité.**

1. amor (amour) →   ....   **2.** lac (lait) →   ....

3. candidus (blanc) →   ....   **4.** canis (chien) →   ....

*** **8** **Expression écrite**

Choisis un des mots latins ou anglais que le français a repris et rédige un court paragraphe dont le titre sera ce mot. Par exemple : mon agenda, mon week-end préféré...

38

Les radicaux grecs et latins

Je me souviens

Le **temps** a laissé son manteau
De vent, de froidure et de pluie,
Et s'est vêtu de broderie,
De **soleil** luisant, clair et beau.

Charles d'Orléans, « Le temps a laissé son manteau » (xvᵉ s.).

Observe le texte et réponds aux questions.

Trouve deux mots formés sur le même radical latin que les mots en vert. → ....

....

À quoi sert un chronomètre ? → ....

Qu'est-ce qu'un héliotrope ? → ....

De quelle origine sont les radicaux *chrono* et *hélio* ? → ....

Je retiens

A QU'EST-CE QU'UN RADICAL ?

- Le radical est l'**élément central** d'un mot qui porte le sens d'origine. Il permet de fabriquer des mots dérivés ou composés *(voir fiche 36).*

- Certains radicaux sont des **mots simples** : *long → long*ueur, *allong*er...

- Ces mots simples peuvent parfois légèrement changer de forme lors de la dérivation : *fleur → fleur*ir, *fleur*iste, mais aussi *flor*aison.

- Certains radicaux n'existent pas en tant que mots : « vis », qui signifie « voir », se retrouve dans *vis*ion, *vis*ible...

B LES RADICAUX LATINS

- Ce sont les plus nombreux, ils constituent le **vocabulaire courant** de la langue.

- Pour un **même sens**, on peut avoir **plusieurs radicaux** d'origine latine. Très souvent cela correspond aux deux types de formation : populaire et savante.
  Le mot latin *populus* a donné *peuple, dépeupler, peuplement* (formation populaire), mais aussi *populaire, population*... (formation savante).

C LES RADICAUX GRECS

- Ils sont surtout utilisés pour des termes scientifiques ou techniques.

- Ils permettent le plus souvent de former des mots composés à l'aide de deux radicaux : *microscope → mikros* : « petit » et *scope* : « voir ».

REMARQUE Pour trouver le sens d'un mot, il faut commencer par le deuxième élément.

- Beaucoup de radicaux grecs ont le même sens qu'un radical latin déjà utilisé pour constituer une famille : *scope* et *vis* → « voir ».

REMARQUE Des formations mixtes (radical grec + radical latin) se rencontrent parfois, comme dans *télévision* → radical grec *télé* (« loin ») et radical latin *vis* (« voir »).

⚠ Certains radicaux se ressemblent, mais n'ont pas du tout le même sens : *ment-* = « mensonge » ou « esprit ».

Je m'entraîne

★ 1 Classe ces mots en deux familles. Revoir • croyance • incroyable • visible • vision • crédible • invisible • télescope • crédule • visiblement • radioscopie • crédulité.

FAMILLE DE VOIR ▸ ....

FAMILLE DE CROIRE ▸ ....

★★ 2 En t'aidant du tableau de la page 119, trouve deux mots dérivés pour chaque radical. Tu peux aussi t'aider d'un dictionnaire.

SENS FRANÇAIS	DÉRIVÉS DU RADICAL LATIN	DÉRIVÉS DU RADICAL GREC
Ex.: la vie	vital, vitalité	biologie, biographie
la terre		
seul		
l'œil		
le soleil		
le temps		
aimer		
le peuple		

★★ 3 Dans la liste suivante, on a mélangé des mots appartenant à deux familles dont les radicaux se ressemblent. Retrouve chaque famille et classe les mots.

LISTE équité, équilibre, équitation, équivalent, équidés, équidistant, équestre.

→ Famille de .... ▸ ....

→ Famille de .... ▸ ....

★★★ 4 Forme des mots composés à l'aide de ces radicaux grecs, puis indique leur sens.
Logie (la science, le discours) • **graphe, graphie** (écrire) • **poly-** (beaucoup) • **psycho-** (l'esprit) • **ortho-** (droit) • **anthropo-** (l'homme) • **phage** (manger) • **chrome** (couleur).

1. ....

2. ....

3. ....

4. ....

★★★ 5 Classe ces mots composés selon la manière dont ils sont formés. Manufacture • orthodontie • polycopier • puériculture • hétérogène • xénophobie • télécommande • polygone • misanthrope • bilatéral • équilatéral • homogène • monoculture.

DEUX RADICAUX LATINS → ....

DEUX RADICAUX GRECS → ....

....

RADICAL LATIN et RADICAL GREC → ....

★★★ 6 Expression écrite

Décris à ton tour l'arrivée du printemps dans un parc ou un jardin que tu connais bien. Dans l'introduction, tu évoqueras rapidement les circonstances de cette découverte, puis tu évoqueras les premiers signes du printemps. Essaie d'introduire dans ton récit plusieurs mots appartenant à la même famille (ex.: la famille de fleur, de vert...).

39

Les préfixes et suffixes latins

Je me souviens

Un chou se prenant pour un <u>chat</u>
Léchant son museau **moustachu**,
Sa bedaine⁽¹⁾ de pacha,
À ses feuilles s'arracha…

(1) Ventre.

Charles Dobzynski, *Fablier des fruits et légumes*,
« Le chou » (1981), © Éditions du Rocher.

Observe le texte et réponds aux questions.

Transforme l'adjectif en gras en nom commun. → ....

Fais l'inverse pour le nom en vert. → ....

Ajoute un suffixe diminutif au nom souligné. → ....

Je retiens

A LES PRINCIPAUX PRÉFIXES LATINS

— Les préfixes latins sont **très nombreux** et ont des **sens variés** *(voir tableau page 118)*.

— Ils sont issus de **prépositions** ou de **préfixes** latins :
   in- → préfixe négatif latin • *ad* → préposition latine [« vers »].

— Leur forme peut varier en fonction de la première lettre du radical :
   in- → **in**égal, **il**légal, **ir**régulier, **im**possible.

— Il existe des **préfixes homonymes** :
   le préfixe *in-* (sens négatif) → **in**visible et le préfixe *im-* [« dans »] → **im**porter.

— Il existe aussi des **préfixes synonymes** :
   in-, *dé-*, *mal-* ont un sens négatif → **in**égal, **dé**faire, **mal**honnête.

— Le sens du préfixe s'est parfois affaibli : dans **dé**nommer, le sens du préfixe *dé-* n'apparaît pas clairement.

B LES PRINCIPAUX SUFFIXES LATINS

— Les suffixes latins sont également **très nombreux** *(voir tableau page 118)*.

— Ils peuvent être précédés d'une **voyelle de liaison** qui fait le lien avec le radical : *pos-i-tion*.

— Il existe des **suffixes homonymes** : dans *gentiment*, *-ment* est un suffixe d'adverbe ;
   dans *maniement*, *-ment* est un suffixe de nom.

— Il existe beaucoup de **suffixes synonymes**, surtout parmi les suffixes de noms :
   -(i)er / -(i)ère, -eur / -euse, -teur / -trice, -aire… sont tous des suffixes de métiers.

— Les **suffixes diminutifs** existent pour les verbes, les noms et les adjectifs :
   sautiller, *fillette*, *pâlot*.

— Les **suffixes péjoratifs** sont toujours des suffixes d'adjectifs : *noirâtre*, *fadasse*, *rougeaud*.

Je m'entraîne

★ 1 Isole les préfixes et les suffixes des mots suivants.

1. information → ....
2. informel → ....
3. apporter → ....
4. recommencement → ....

2 Classe les mots suivants en deux colonnes, selon le sens du préfixe.

Imprévu • incorporer • inanimé • importation • irrésolu • illuminer • imprimer • infidèle • inflammable • impensable.

PRÉFIXE SIGNIFIANT « DANS »	PRÉFIXE NÉGATIF
....	....

3 Isole les préfixes des mots suivants et précise leur sens.

1. immobile → ....

2. réimprimer → ....

3. mésentente → ....

4. écrémer → ....

5. prévoir → ....

6. immerger → ....

4 Isole les suffixes des mots suivants et classe-les dans la bonne colonne.

1. visible → ....

2. marcher → ....

3. baignade → ....

4. tension → ....

5. cerisier → ....

6. acteur → ....

SUFFIXES D'ADJECTIF	SUFFIXES DE NOM	SUFFIXES DE VERBE

5 Isole les suffixes, puis précise s'ils sont péjoratifs ou diminutifs.

1. rougeâtre → ....

2. rêvasser → ....

3. ourson → ....

4. voleter → ....

5. trempette → ....

6. fadasse → ....

6 Souligne les mots dans lesquels le suffixe *-ment* est un suffixe de nom et surligne ceux dans lesquels il est un suffixe d'adverbe.

armement • soudainement • dénouement • harnachement

ligament • doucement • tiraillement • également

7 À l'aide d'un suffixe, transforme ces verbes en noms.

1. apprendre → ....

2. former → ....

3. élever → ....

4. siffler → ....

5. connaître → ....

6. conjuguer → ....

8 Pour chaque mot simple suivant, trouve trois dérivés. Tu préciseras la classe grammaticale et le sens de chaque mot trouvé.

1. pur → ....

→ ....

→ ....

2. juste → ....

→ ....

→ ....

9 Expression écrite

En t'inspirant du poème, écris à ton tour un petit texte qui portera le nom d'un légume ou d'un fruit ; tu raconteras ce qu'il fait en se prenant pour un animal. Essaie de trouver, comme dans le poème, des sons qui se ressemblent.

40

Les préfixes d'origine grecque

Je me souviens

Les sanglots longs
Des violons
    De l'automne

Blessent mon cœur
D'une langueur [1]
Monotone

1. Abattement, affaiblissement.

Paul Verlaine, *Poèmes saturniens*, « Chanson d'automne » (1866).

Observe le texte et réponds aux questions.

Indique le sens de l'adjectif en vert. → ....

....

Trouve d'autres mots formés avec le préfixe *mono-*.→ ....

....

Quel est le sens de ce préfixe ?→ ....

Je retiens

A LE RÔLE DES PRÉFIXES GRECS

- Certains préfixes grecs ont le **même sens** que les préfixes latins:
  ***em**|mener* → préfixe grec signifiant « dans » ; ***im**|porter* → préfixe latin de même sens.

- D'autres préfixes ont la **même forme** mais un sens différent:
  a- → préfixe latin signifiant « vers » ; *a-* → préfixe grec de sens négatif.

- Ils s'utilisent le plus souvent pour former des **mots plus « savants » ou spécialisés**.

- Ils s'utilisent avec des radicaux grecs, latins ou même avec des mots français.
  mono|chrome → radical grec • *mon|ocle* → radical latin • *épi|centre* → mot français.

B EMPLOIS PARTICULIERS DES PRÉFIXES GRECS

- Dans la langue familière, on emploie souvent le préfixe *hyper-* comme un adverbe pour exprimer le superlatif absolu:
  *Je suis **hyper** contente.*

- Des préfixes grecs sont aussi utilisés pour former des mots nouveaux appelés **néologismes**:
  ***hyper**marché* • *famille **mono**parentale.*

Je m'entraîne

Pour tous ces exercices, utilise le tableau de la page 118.

* 1 Complète les préfixes suivants pour obtenir un mot dont tu donneras le sens.

1. anti-   → ....

2. dia-   → ....

3. hémi-   → ....

4. mon(o)- → ....

5. poly-   → ....

2 Complète ces mots à l'aide d'un préfixe grec, puis indique le sens du mot.

1. mètre → ....
2. tension → ....
3. culture → ....
4. thèse → ....
5. théiste → ....

3 Relie ces mots au sens de leur préfixe.

apesanteur ▪   ▪ apaisement

aplatir ▪   ▪ **PRÉFIXE LATIN « VERS »** ▪

anormal ▪   ▪ anonyme

anoblir ▪   ▪ **PRÉFIXE GREC NÉGATIF** ▪   ▪ amener

4 Place les mots dans le tableau selon le sens du préfixe *para-*. Parapluie • parascolaire • paratonnerre • paramédical • parasol • paravent • paranormal • parachute • paraphrase.

PRÉFIXE LATIN SIGNIFIANT « PROTECTION CONTRE »	PRÉFIXE GREC SIGNIFIANT « À CÔTÉ, PROCHE »

5 Complète les mots ou radicaux suivants avec le préfixe latin *dis-* (« séparé, différent ») ou le préfixe grec *dys-* (« mauvais »).

1. -fonctionnement → ....
2. -semblable → ....
3. -lexie → ....
4. -culper → ....
5. -calculie → ....
6. -joindre → ....

6 Constitue des mots en utilisant les préfixes signifiant « avec, ensemble ».

PRÉFIXE LATIN : CON- • COM- • COL-	PRÉFIXE GREC : SYN- • SYM- • SYL- • SY-

7 Voici des mots formés avec un préfixe latin. Indique le sens de ce préfixe, puis trouve un mot comportant un préfixe grec de même sens.

MOTS AVEC PRÉFIXE LATIN	SENS DU PRÉFIXE	MOTS AVEC PRÉFIXE GREC
invisible		
importer		
communion		
circonstance		
surexposé		
souscrire		
multiforme		

8 Expression écrite

Verlaine évoque l'automne dans son poème. À ton tour, rédige un paragraphe pour évoquer ta saison préférée. Tu essaieras d'utiliser au moins trois mots comportant un préfixe grec. Surligne ces mots en relisant ton devoir.

Sens propre et sens figuré

Je me souviens

– Mais où donc avez-vous la tête ?
Mais à quoi donc pensez-vous ?
– **J'ai la tête près du bonnet,**
J'ai la cervelle à tous les vents.

Claude Roy, *Enfantasques*, « Où avez-vous la tête ? » (1974), © Éditions Gallimard.

Observe le texte et réponds aux questions.

Cherche dans un dictionnaire le sens de l'expression en vert. → ....
....

Quel est le sens propre de *tête* ? → ....
....

Comment appelle-t-on le sens utilisé dans le poème ? → ....

Je retiens

A QU'EST-CE QUE LE SENS PROPRE D'UN MOT ?

➤ Le sens propre d'un mot est son **sens premier**, d'origine (c'est le sens qui apparaît en premier dans le dictionnaire).

➤ Ce sens correspond souvent à l'**étymologie**.
   Os : *chacune des pièces rigides du squelette humain.*

B QU'EST-CE QUE LE SENS FIGURÉ ?

➤ C'est un **sens dérivé** : le mot n'a plus son sens habituel.

➤ On passe souvent d'un domaine concret à un domaine abstrait.
   *Il est tombé sur un **os*** (= une difficulté).

Je m'entraîne

＊ 1 Voici des phrases utilisant le mot *tête*, relie-les à la phrase de même sens.

Il est tombé sur la tête. ▪   ▪ Il a agi sans réfléchir.
Il ne sait plus où donner de la tête. ▪   ▪ Il est têtu.
Il a une tête de cochon. ▪   ▪ Il est devenu fou.
Il a une tête de linotte. ▪   ▪ Il a beaucoup de travail.
Il a agi sur un coup de tête. ▪   ▪ Il est très étourdi.

＊＊ 2 Indique si le mot souligné est au sens propre ou au sens figuré

	SENS PROPRE	SENS FIGURÉ
1. Je me suis blessé le <u>pied</u>.	☐	☐
2. Tu me casses les <u>pieds</u>.	☐	☐
3. Il y a des <u>traces</u> de pas dans la neige.	☐	☐
4. Il veut suivre mes <u>traces</u> et devenir médecin.	☐	☐
5. Il s'est coupé les <u>cheveux</u>.	☐	☐
6. Ne coupe pas les <u>cheveux</u> en quatre.	☐	☐

★★ 3 **Un même mot peut compléter chacune de ces phrases. Trouve-le !**

1. Il s'est cassé le ....

2. Il pourra t'aider : il a le .... long.

3. Donne-moi le .... , je suis fatiguée.

4. Mes parents sont sortis : j'ai mon petit frère sur les ....

★★ 4 **Donne le sens de ces expressions figurées utilisant une partie du corps.**

1. J'ai pris mes jambes à mon cou. → ....

2. Je n'ai pas mes yeux dans ma poche. → ....

3. J'ai toujours une oreille qui traîne. → ....

4. Je m'en bats l'œil. [registre familier] → ....

★★ 5 **Utilise les noms de fruits dans une phrase où ils seront employés au sens figuré (tu peux utiliser un registre familier).**

1. J'ai mangé une pomme au dessert. → ....

2. Ce n'est pas la saison des prunes. → ....

3. Les cerises ont un petit noyau. → ....

4. J'ai fait une tarte aux poires. → ....

★★★ 6 **Utilise les mots suivants dans deux phrases : une au sens propre et l'autre au sens figuré.**

1. Lune
→ SENS PROPRE ▶ ....
→ SENS FIGURÉ ▶ ....

2. Terre
→ SENS PROPRE ▶ ....
→ SENS FIGURÉ ▶ ....

3. Soleil
→ SENS PROPRE ▶ ....
→ SENS FIGURÉ ▶ ....

★★★ 7 **Donne le sens de ces expressions figurées qui utilisent des noms d'animaux.**

1. Quand on parle du loup on en voit la queue ! → ....

2. Tu as un appétit d'oiseau. → ....

3. Ils se sont regardés en chiens de faïence. → ....

4. Revenons à nos moutons. → ....

5. Ne joue pas la mouche du coche. → ....

6. J'ai des fourmis dans les jambes. → ....

7. J'ai un chat dans la gorge. → ....

8. Il a mangé du lion. → ....

★★★ 8 **Expression écrite**

Rédige un paragraphe où, comme l'enfant du poème, quelqu'un prend au sens propre une expression utilisée au sens figuré. Voici quelques idées : *être dans la lune, prendre ses jambes à son cou...*

42 La polysémie

Je me souviens

Au printemps l'Oiseau naît et chante :
N'avez-vous pas ouï[1] sa **voix** ?…
Elles est pure, simple et touchante,
La voix de l'Oiseau dans les **bois**.

(1) Entendre.

Gérard de Nerval, *Odelettes*, « Dans les bois ! » (1853).

Indique le sens des mots en vert dans le texte.

→ .... → ....

Invente une phrase où ces mots auront un autre sens.

Voix → ....

Bois → ....

Je retiens

A QU'EST-CE QUE LA POLYSÉMIE ?

- Le mot *polysémie* est composé de deux radicaux grecs : *poly-*, « nombreux » et *-sémi* : « sens ».
- Un mot est donc **polysémique** quand il a **plusieurs sens**.
  *Je me promène dans les **bois**. • Cette table est en **bois**.*

B QUAND UN MOT EST-IL POLYSÉMIQUE ?

Un mot est polysémique dans les cas suivants.

- Quand il s'utilise dans des **contextes variés**, avec des glissements de sens.
  *Un adulte a trente-deux **dents**. • Il manque une **dent** à ce timbre.*
- Quand le **registre de langue** fait évoluer son sens.
  *Elle a de très jolies **jambes**. • Ça me fait une belle **jambe** !* (registre familier)
- Quand sa **place dans la phrase** change son sens.
  *C'est un **grand** écrivain. • Mon frère est plus **grand** que moi.*
- Quand son sens **évolue avec le temps**.
  Formidable *signifiait autrefois « qui inspire la terreur », il signifie maintenant « très bien ».*
- Quand il est utilisé avec un **sens figuré** *(voir fiche 41).*
  *Il a mal aux **jambes**. • Il prend ses **jambes** à son cou.*

⚠ Il ne faut pas confondre la polysémie avec l'homographie : deux mots peuvent avoir la même orthographe et être totalement différents l'un de l'autre : le fruit appelé *avocat* n'a rien à voir avec le métier d'avocat. Ce n'est pas ici un mot polysémique.

Je m'entraîne

 1 Souligne les mots qui n'ont qu'un sens.

bureau • vélo • jouer • microscope • compter • chaussure • imprimante

110

2 Reprends les mots que tu n'as pas soulignés dans l'exercice précédent, puis utilise-les dans deux phrases où ils auront un sens différent.

PREMIER MOT ▸ .... → ....
....

DEUXIÈME MOT ▸ .... → ....
....

TROISIÈME MOT ▸ .... → ....
....

3 Trouve parmi les mots suivants le synonyme du verbe *mettre* qui convient à chaque phrase. Disposer • placer • revêtir • régler.

1. N'oublie pas de mettre ta montre à l'heure. → ....
2. Tu devrais mettre un imperméable. → ....
3. C'est toi qui mettras le couvert. → ....
4. Le voleur a été mis en garde à vue. → ....

4 Donne un synonyme pour chaque adjectif souligné.

1. Son exposé était très clair. → ....
2. Cette pièce est très claire. → ....
3. Mon voisin est un curieux personnage. → ....
4. Mon petit frère est très curieux, il fouille partout. → ....

5 Indique le registre de langue employé et le sens des mots soulignés.

1. Les Anglais avaient une flotte très puissante. → ....
2. Il ne boit que de la flotte. → ....
3. Ce matin les vitres étaient givrées. → ....
4. Tu es complètement givré de sortir par ce temps. → ....

6 Indique le sens du mot *étude* dans les phrases suivantes en t'aidant d'un dictionnaire.

1. L'étude de ce poème m'a beaucoup plu. → ....
2. Ce projet est encore à l'étude. → ....
3. Il veut encore poursuivre ses études. → ....
4. Mon père est clerc de notaire à l'étude de maître Durand. → ....
5. L'an dernier, je restais à l'étude pour faire mes devoirs. → ....

7 Trouve le mot qui correspond à toutes ces définitions.

1. Bijou qui se porte autour du cou. • 2. Pièce du vélo qui transmet le mouvement. • 3. Ensemble de magasins qui portent le même nom • 4. Façon de travailler dans certaines usines. • 5. Organisme de radio ou de télévision. • 6. Ensemble de montagnes. • 7. Objet en métal utilisé pour empêcher un vol ou limiter les déplacements d'un animal.

→ Je suis le mot ....

8 Expression écrite

Dans la suite du poème, Nerval décrit l'oiseau en été et en automne. Choisis à ton tour un animal, un lieu ou un paysage et décris-le au fil des saisons. Essaie, dans cette description, d'utiliser au moins un même mot avec deux sens différents.

Mots génériques
et mots spécifiques

Je me souviens

Quand, par un jour de pluie, un oiseau de passage
Jette au hasard un cri dans un chemin perdu,
Au fond des bois fleuris, dans son nid de feuillage,
Le rossignol pensif a parfois répondu.

Alfred de Musset, *Poésies nouvelles*, « Sonnet » (1850).

Observe le texte et réponds aux questions.

Quel lien de sens y a-t-il entre les mots en vert ? → ....

Lequel de ces deux mots a le sens le plus général ? → ....

Je retiens

A QU'EST-CE QU'UN MOT GÉNÉRIQUE ?

➤ Un mot **générique** englobe une catégorie d'objets, d'animaux, d'êtres humains.
*Un **oiseau** est un terme générique qui regroupe les rossignols, les pigeons, les corbeaux…*

➤ Il peut y avoir **plusieurs niveaux** de mots génériques.
*Le mot **animal** est un terme générique qui regroupe les oiseaux, les poissons, les mammifères…*

B QU'EST-CE QU'UN MOT SPÉCIFIQUE ?

➤ Un mot **spécifique** représente **un élément** d'un ensemble plus large.
***Rossignol** est un mot spécifique : il est un élément de la classe des oiseaux.*

➤ Il y a également **plusieurs niveaux** de mots spécifiques.
*Rossignol est spécifique par rapport à oiseau ; **oiseau** est spécifique par rapport à animal.*

C À QUOI SERVENT LES MOTS GÉNÉRIQUES ?

➤ On les utilise pour **définir** un autre terme.
*Un rossignol est un **oiseau**…*

➤ Ils permettent d'**éviter une répétition**.
*Nous avons plusieurs rossignols dans notre jardin, ces **oiseaux** nous réveillent chaque matin.*

➤ Ils permettent aussi de **résumer une énumération**.
*Dans notre volière, on trouve des rossignols, des rouges-gorges, des canaris : tous ces **oiseaux** s'entendent parfaitement.*

Je m'entraîne

* **1** **Trouve un terme générique pour chaque série de mots.**

1. rose, tulipe, œillet, hortensia → ....

2. table, chaise, buffet, armoire → ....

3. bonnet, écharpe, chemise, pantalon → ....

4. poireau, carotte, pomme de terre, haricot → ....

* **2** **Dans chaque série, souligne le mot générique qui s'est glissé parmi les mots spécifiques.**

1. pédiatre, cardiologue, pneumologue, médecin, ophtalmologiste.

2. cahier, crayon, classeur, fournitures scolaires, gomme.

3. ballon, poupée, jouet, ours en peluche, puzzle.

4. Seine, Garonne, Nil, fleuve, Loire.

** **3** **Trouve pour chacun des mots suivants au moins cinq mots spécifiques.**

1. Ville → ....

2. Profession → ....

3. Qualité → ....

4. Métal → ....

** **4** **Donne un nom générique pour chacun des noms propres suivants. Trouve ensuite trois autres noms spécifiques.**

1. Molière → .... → ....

2. Tintin → .... → ....

3. Paris → .... → ....

4. Bretagne → .... → ....

*** **5** **Pour chacun des mots suivants :**

a) Propose une liste dans laquelle il sera un mot spécifique. Tu préciseras le mot générique auquel ta liste se rapporte.

b) Propose une liste de mots spécifiques dont il sera le mot générique.

Ex.: oiseau → a) poisson rouge, chat, chien, hamster ; mot générique : animal domestique
→ b) rossignol, pigeon, rouge-gorge, canari

1. Pomme de terre → a) ....
→ b) ....

2. Glace → a) ....
→ b) ....

3. Poésie → a) ....
→ b) ....

*** **6** # Expression écrite

Rédige un court paragraphe dont le titre sera un mot générique de ton choix.
Tu rédigeras ensuite plusieurs phrases correspondant chacune à un mot spécifique
(tu peux t'inspirer d'une des listes de la fiche ou mieux en constituer une nouvelle).
Par exemple, tu intitules ton paragraphe « Oiseaux », puis tu rédiges une phrase
sur le rossignol, une sur le corbeau, une sur l'aigle…

Les figures de style : comparaison, métaphore et personnification

Je me souviens

Le chêne un jour dit au roseau : [...]
Cependant que mon front, au Caucase [1] pareil,
Non content d'arrêter les rayons du soleil,
Brave l'effort de la tempête.
Tout vous est aquilon [2], tout me semble zéphyr.

(1) Chaîne de hautes montagnes.
(2) Aquilon : vent violent, zéphyr : vent doux.

Jean de La Fontaine, *Fables*, « Le chêne et le roseau », livre I, fable 22 (1696).

Observe le texte et réponds aux questions.

Dans les groupes soulignés, quels mots suggèrent une comparaison ? → ....

Explique les trois comparaisons contenues dans ces groupes. → ....

Dans le groupe en vert, y a-t-il un mot exprimant la comparaison ? → ....

Je retiens

A QU'EST-CE QU'UNE FIGURE DE STYLE ?

- Une figure de style sert à **mettre en valeur une idée**, c'est un procédé d'écriture.
- La comparaison, la métaphore et la personnification sont trois figures de style.
- Elles reposent sur le même principe : **rapprocher deux réalités** pour que le lecteur **imagine** mieux. Il y a donc un **comparé** et un **comparant**.
  Dans la fable de La Fontaine, le chêne est le comparé, le Caucase, le comparant.

B LA COMPARAISON

- Elle rapproche comparé et comparant à l'aide d'un **outil de comparaison**.
- Les principaux outils de comparaison sont : *comme, de même que, pareil à, tel, ressembler, sembler...*
  *mon front, au Caucase **pareil** • tout me **semble** zéphyr.*

C LA MÉTAPHORE

- Elle rapproche comparé et comparant **sans outil de comparaison**.
- Le comparé peut être sous-entendu ou suggéré par le sens général de la phrase.
  Tout vous est aquilon.

  REMARQUE De nombreux sens figurés sont des métaphores : *un tapis de feuilles.*

- Une **métaphore filée** se poursuit sur plusieurs mots ou plusieurs phrases.

D LA PERSONNIFICATION

- C'est une catégorie particulière de **métaphore**.
- Elle attribue des **caractéristiques humaines** à un objet ou un animal.
  *C'est un trou de verdure où **chante** une rivière.* (Arthur Rimbaud, « Le dormeur du val »)

1 Trouve le comparant dans ces expressions empruntées à la langue courante.

1. bleu comme .... | 2. blond comme ....
3. malin comme .... | 4. rouge comme ....
5. blanc comme .... | 6. jaune comme ....

2 Souligne les métaphores contenues dans ces phrases et explique-les brièvement.

1. Mon petit frère est un vrai poisson. → ....

2. Nous avons encore un long ruban à parcourir. → ....

3. Il tombe des cordes. → ....

3 Souligne les personnifications contenues dans ces phrases et explique-les brièvement.

1. La mer en furie s'acharne sur les rochers. → ....

2. Notre maison nous accueille avec joie chaque été. → ....
....

3. Le vent farceur s'amuse à me décoiffer. → ....

4 Identifie la figure de style contenue dans chaque phrase puis explique-la.

1. Tu as l'air d'un perroquet avec ce manteau rouge et ce pantalon vert !
→ ....

2. Le placard du grenier nous offre généreusement tous ses trésors.
→ ....

3. Le moteur toussa une dernière fois puis mourut.
→ ....

4. La boule de feu disparut dans l'océan : quel spectacle magnifique !
→ ....

5 Souligne les figures de style contenues dans ces extraits de poèmes, puis identifie-les. Tu expliqueras ensuite l'idée que veut développer chaque poète.

1. La fleur de l'églantier sent ses bourgeons éclore. (Alfred de Musset, « Nuit de mai »)
→ ....
....
....

2. Quand le ciel bas et lourd pèse comme un couvercle. (Charles Baudelaire, *Les Fleurs du Mal*, « Spleen ») → ....
....
....

3. Homme libre, toujours tu chériras la mer / La mer est ton miroir ; tu contemples ton âme.
(Charles Baudelaire, *Les Fleurs du Mal*, « L'homme et la mer ») → ....
....
....

6 Expression écrite

Choisis un thème : un animal, un élément naturel (la mer, la pluie, le soleil…), un personnage, puis décris-le en utilisant une ou plusieurs des figures de style étudiées.

Je sais identifier les sens et l'origine des mots

1 Ajoute au tableau suivant le doublet de formation savante. ...... / 2 points

MOT LATIN	DOUBLET POPULAIRE	DOUBLET SAVANT
navigare	nager	
securitatem	sûreté	
insula	île	
ministerium	métier	

2 Trouve pour chacun de ces radicaux signifiant « nombreux » deux mots de la même famille. ...... / 2 points

1. Radical latin *multi* ▸
2. Radical grec *poly* ▸

3 Modifie ces mots à l'aide d'un suffixe conforme à la consigne. ...... / 2 points

1. gentil **SUFFIXE DE NOM ▸**
2. vert **SUFFIXE PÉJORATIF ▸**
3. aimer **SUFFIXE D'ADJECTIF ▸**
4. fille **SUFFIXE DIMINUTIF ▸**

4 Isole les préfixes, puis précise leur origine. ...... / 2 points

1. amener ▸ .... 2. périphérie ▸ ....
3. synthèse ▸ .... 4. importer ▸ ....

5 Trouve les deux mots génériques de cette liste, puis associe-leur les mots spécifiques adaptés. Carotte • vipère • chou • reptile • poireau • crocodile • légume • haricot • caméléon • couleuvre. ...... / 2 points

1. **MOT GÉNÉRIQUE 1 ▸** .... **MOTS SPÉCIFIQUES ▸** ....
2. **MOT GÉNÉRIQUE 2 ▸** .... **MOTS SPÉCIFIQUES ▸** ....

6 Indique si les mots soulignés sont utilisés au sens propre ou au sens figuré. ...... / 3 points

	SENS PROPRE	SENS FIGURÉ
1. Les enfants sont au <u>lit</u>.	☐	☐
2. Ce fleuve prend sa <u>source</u> dans la montagne.	☐	☐
3. Nous marchions sur un <u>lit</u> de feuilles.	☐	☐
4. Il n'a pas les <u>pieds</u> sur terre.	☐	☐
5. L'argent est souvent une <u>source</u> de conflits.	☐	☐
6. Tu as de grands <u>pieds</u>.	☐	☐

7 Invente trois phrases qui illustreront la polysémie de *vert*. ...... / 3 points

1. ....
2. ....
3. ....

8 Souligne les figures de style contenues dans ces phrases et précise s'il s'agit d'une métaphore ou d'une comparaison. ...... / 4 points

1. Son regard est pareil aux regards des statues. (Paul Verlaine) ▸ ....

2. Le temps a laissé son manteau / de vent, de froidure et de pluie. (Charles d'Orléans) ▸ ....

MON TOTAL . . . . / 20 points

LES PRONOMS

Les pronoms remplacent un nom. On les trouve devant un verbe ou après une préposition.

	DÉFINITIONS	EXEMPLES
Les pronoms personnels ♦ *je • tu • il • ils* → sujets ♦ *elle • elles • nous • vous* → sujets ou compléments ♦ *me • moi • te • toi • le • la • l' • les •* *lui • leur • se • soi • eux* → compléments	• Varient en genre, en nombre, en personne et parfois selon leur fonction grammaticale.	♦ *Tu es rusé* = pronom personnel sujet, 2e personne du sg. ♦ *Il te trompe.* = pronom personnel COD, 2e personne du sg.
Les pronoms possessifs ♦ *le/les mien(s) • tien(s) • sien(s)* ♦ *la/les mienne(s) • la/les tienne(s) •* *la/les sienne(s)* ♦ *le/la nôtre • vôtre • leur* ♦ *les nôtres • les vôtres • les leurs*	• Remplacent un nom et indiquent un lien (possession, filiation…) avec un autre nom de la phrase. • Varient en genre, en nombre et en personne.	♦ *J'ai oublié mon livre, prête-moi* *le tien s'il te plaît.* = le livre de la personne à qui je parle
Les pronoms démonstratifs ♦ *ce, celui • celle(s) • ceux • celui-ci •* *celui-là • celle(s)-ci • celle(s)-là •* *ceux-ci • ceux-là • ceci, cela (ça)*	• Remplacent un nom que l'on désigne ou dont on a déjà parlé.	♦ *Aimes-tu les aventures de Renart ?* *– Oui, mais je préfère celles de* *Robinson.* = les aventures dont on vient de parler.
Les pronoms interrogatifs ♦ *qui • que • quoi • lequel •* *lesquels • laquelle • lesquelles*	• Permettent de poser une question portant sur un nom.	♦ *Qui est ce chevalier ?*
Les pronoms indéfinis **de sens négatif** ♦ *personne • rien • aucun • nul*	• Désignent une personne ou une chose qui n'est pas là. • Toujours associés à la négation *ne*.	♦ *Personne n'est plus puissant* *qu'Arthur.*

LES DÉTERMINANTS

Les déterminants précèdent un nom avec lequel ils s'accordent en genre et en nombre.

	DÉFINITIONS	EXEMPLES
Les déterminants articles		
♦ **articles définis** : *le • la • les • l'*	• S'emploient devant un nom déjà utilisé ou bien précisé.	♦ *Les exploits des chevaliers sont* *célèbres.*
♦ **articles indéfinis** : *un • une • des*	• S'emploient devant un nom jamais utilisé ou imprécis.	♦ *J'aime lire des récits de chevalerie.*
♦ **articles définis contractés** : *au(x) • du • des*	• Contraction des prépositions *à* ou *de* et des articles *le* ou *les*.	♦ *Voici l'histoire du roi Arthur.* = de + le
♦ **articles partitifs** : *du • de la • de l'*	• Signifient *un peu de*.	♦ *Il faut du courage pour être* *chevalier.*
Les déterminants possessifs ♦ *mon • ton • son • ma • ta • sa •* *mes • tes • ses • notre • votre •* *leur • nos • vos • leurs*	• S'emploient devant un nom qui a un lien (appartenance, filiation…) avec un autre nom du texte.	♦ *Le chevalier obéissait à son roi.* = le roi du chevalier
Les déterminants démonstratifs ♦ *ce • cet • cette • ces • ce… ci/là •* *cette… ci/là • ces… ci/là*	• S'emploient devant un nom que l'on montre ou dont on a déjà parlé.	♦ *J'ai lu Lancelot du Lac et j'ai* *apprécié ce récit.* = évoqué précédemment
Les déterminants interrogatifs ♦ *quel(s) • quelle(s)*	• Permettent de poser une question sur une expansion ou sur un attribut du sujet.	♦ *Quel héros préfères-tu ?*
Les déterminants indéfinis **de sens négatif** ♦ *aucun • nul*	• Déterminent un nom de personne ou d'objet qui n'est pas là. • Toujours associés à la négation *ne*.	♦ *Aucun animal n'est plus rusé* *que Renart.*

LES PRINCIPAUX PRÉFIXES ET SUFFIXES

LES PRÉFIXES

Ils se placent avant le radical ou le mot simple et ils en modifient le sens.

	SENS	EXEMPLES
a- • *an-*	• négatif	▶ *anormal*
ad- • *ap-* • *ac-*...	• vers	▶ *apporter* • *addition*
anti-	• contre	▶ *antidérapant*
cir-	• autour	▶ *circonstance*
com- • *con-* • *col-* • *co-*	• avec	▶ *concourir* • *colocataire*
dia-	• à travers	▶ *diagonale*
dé(s)-	• négatif	▶ *désobéir*
dis-	• séparer	▶ *disjoindre*
dys-	• mauvais	▶ *dysfonctionnement*
e- • *ex-*	• à l'extérieur	▶ *exporter*
en- • *em-* • *in-* • *im-*	• dans	▶ *importer* • *emplir*
hémi-	• demi, moitié	▶ *hémisphère*
hypo-	• sous, au-dessous	▶ *hypotension*
hyper-	• sur, avec excès	▶ *hypersensible*
in- • *im-* • *ir-* • *il-*	• négatif	▶ *illisible* • *immortel*
mal- • *mé-*	• négatif	▶ *malhonnête* • *mécontent*
para-	• protection contre • à côté de, proche de	▶ *parapluie* ▶ *parascolaire*
péri-	• autour	▶ *périmètre*
pré-	• avant	▶ *prévenir*
re-	• répétition	▶ *retour* • *refaire* • *revenir*
sous-	• sous, au-dessous	▶ *souscrire*
sur-	• sur, avec excès	▶ *surexposé*
syn-	• avec, ensemble	▶ *synchronisation*
trans-	• au-delà	▶ *transporter*

LES SUFFIXES

Ils se placent après le radical ou le mot simple. Ils peuvent changer la classe grammaticale d'un mot, mais aussi changer son sens.

SUFFIXES DE NOMS COMMUNS		SUFFIXES D'ADJECTIFS	
-ade • *-age*	▶ *glissade* • *lavage*	*-able* • *-ible* • *-uble* expriment la possibilité	▶ *variable* • *nuisible* • *soluble*
-eur • *-ateur* • *-euse* • *-atrice* • *-teur* • *-trice*	▶ *animateur* • *chercheur* • *lectrice*	*-al* • *-el*	▶ *matinal* • *intellectuel*
-ien • *-ienne* • *-en* • *-enne*	▶ *collégien*	*-ien* • *-ienne* • *-en* • *-enne*	▶ *aérien*
-ement	▶ *enlèvement*	*-eux* • *-ueux* • *-euse*	▶ *heureux* • *luxueux*
-esse	▶ *tristesse* • *ânesse*	*-if* • *-ive*	▶ *sportif*
-er • *-ier* • *-ie* • *-erie*	▶ *boucher* • *épicier* • *lingerie*	*-er* • *-ier* • *-ière*	▶ *gaucher* • *fruitier*
		-ique	▶ *héroïque*
-ise • *-isme* • *-iste*	▶ *sottise* • *héroïsme*	*-u*	▶ *ventru*
-oir • *-oire* • *-atoire*	▶ *mouchoir*	**SUFFIXES DE VERBES**	
-té • *-eté* • *-ité*	▶ *fierté*	*-er* • *-ir* • *-ifier* • *-iser*	▶ *chanter* • *finir* • *finaliser*
-ure	▶ *chevelure*	**SUFFIXE D'ADVERBES**	
		-ment (ajouté à un adjectif)	▶ *heureusement*

SUFFIXES MODIFIANT LE SENS		
	SENS	EXEMPLES
-et • *-ette* • *-ot* • *-otte* • *-eau* • *-on*	• diminutifs	▶ *jardinet* • *fillette* • *lapereau*
-asse • *-âtre*	• péjoratifs	▶ *paperasse* • *verdâtre*

LES RADICAUX

Ils sont l'élément central du mot. Ils permettent de fabriquer des mots dérivés ou composés.

SENS FRANÇAIS	RADICAUX	EXEMPLES
aimer	• latin : **am-**	▸ amabilité
	• grec : **philo-**	▸ philosophie
cheval	• latin : **chev-, cav-, équ-**	▸ cheval • équestre
	• grec : **hipp-**	▸ hippique
douleur	• latin : **dolor-**	▸ indolore
	• grec : **algi**	▸ névralgie
eau	• latin : **aqua-**	▸ aquatique
	• grec : **hydr-**	▸ hydraulique
égal	• latin : **équ-**	▸ équidistant
	• grec : **iso-**	▸ isocèle
entendre	• latin : **audi-**	▸ audition
	• grec : **acou-**	▸ acoustique
humain	• latin : **homin-**	▸ hominidé
	• grec : **anthrop-**	▸ anthropophage
manger	• latin : **vore**	▸ carnivore
	• grec : **phage**	▸ anthropophage
mer	• latin : **mer-, mar-**	▸ maritime
	• grec : **thalasso-**	▸ thalassothérapie
nez	• latin : **nas-**	▸ nasal
	• grec : **rhin-**	▸ rhinopharyngite
œil	• latin : **ocul-**	▸ oculaire
	• grec : **ophtalmo-**	▸ ophtalmologue
peuple	• latin : **peupl-, popul-**	▸ populaire
	• grec : **démo-**	▸ démocratique
seul	• latin : **sol- , seul-**	▸ solitaire
	• grec : **mono-**	▸ monologue
soleil	• latin : **sol-**	▸ solaire
	• grec : **hélio-**	▸ héliotrope
temps	• latin : **temp-**	▸ temporel
	• grec : **chrono-**	▸ chronomètre
terre	• latin : **terr-**	▸ terrien
	• grec : **gé-**	▸ géologie
tout	• latin : **omni-**	▸ omnivore
	• grec : **pan-**	▸ pandémie
vie	• latin : **vita-**	▸ vitalité
	• grec : **bio-**	▸ biologie
voir	• latin : **vide-, vis-**	▸ vision
	• grec : **scope**	▸ périscope
voix	• latin : **voc-**	▸ vocabulaire
	• grec : **phone**	▸ téléphone

ÊTRE

INDICATIF				
PRÉSENT	IMPARFAIT	PASSÉ SIMPLE	FUTUR SIMPLE	CONDITIONNEL SIMPLE
je suis	j'étais	je fus	je serai	je serais
tu es	tu étais	tu fus	tu seras	tu serais
il est	il était	il fut	il sera	il serait
nous sommes	nous étions	nous fûmes	nous serons	nous serions
vous êtes	vous étiez	vous fûtes	vous serez	vous seriez
ils sont	ils étaient	ils furent	ils seront	ils seraient
PASSÉ COMPOSÉ	PLUS-QUE-PARFAIT	PASSÉ ANTÉRIEUR	FUTUR ANTÉRIEUR	CONDITIONNEL COMPOSÉ
j'ai été	j'avais été	j'eus été	j'aurai été	j'aurais été
tu as été	tu avais été	tu eus été	tu auras été	tu aurais été
il a été	il avait été	il eut été	il aura été	il aurait été
nous avons été	nous avions été	nous eûmes été	nous aurons été	nous aurions été
vous avez été	vous aviez été	vous eûtes été	vous aurez été	vous auriez été
ils ont été	ils avaient été	ils eurent été	ils auront été	ils auraient été

SUBJONCTIF	IMPÉRATIF	INFINITIF	PARTICIPE
PRÉSENT	PRÉSENT	PRÉSENT	PRÉSENT
que je sois		être	étant
que tu sois			
qu'il soit	sois	PASSÉ	PASSÉ
que nous soyons	soyons		
que vous soyez	soyez	avoir été	été
qu'ils soient			

AVOIR

INDICATIF				
PRÉSENT	IMPARFAIT	PASSÉ SIMPLE	FUTUR SIMPLE	CONDITIONNEL SIMPLE
j'ai	j'avais	j'eus	j'aurai	j'aurais
tu as	tu avais	tu eus	tu auras	tu aurais
il a	il avait	il eut	il aura	il aurait
nous avons	nous avions	nous eûmes	nous aurons	nous aurions
vous avez	vous aviez	vous eûtes	vous aurez	vous auriez
ils ont	ils avaient	ils eurent	ils auront	ils auraient
PASSÉ COMPOSÉ	PLUS-QUE-PARFAIT	PASSÉ ANTÉRIEUR	FUTUR ANTÉRIEUR	CONDITIONNEL COMPOSÉ
j'ai eu	j'avais eu	j'eus eu	j'aurai eu	j'aurais eu
tu as eu	tu avais eu	tu eus eu	tu auras eu	tu aurais eu
il a eu	il avait eu	il eut eu	il aura eu	il aurait eu
nous avons eu	nous avions eu	nous eûmes eu	nous aurons eu	nous aurions eu
vous avez eu	vous aviez eu	vous eûtes eu	vous aurez eu	vous auriez eu
ils ont eu	ils avaient eu	ils eurent eu	ils auront eu	ils auraient eu

SUBJONCTIF	IMPÉRATIF	INFINITIF	PARTICIPE
PRÉSENT	PRÉSENT	PRÉSENT	PRÉSENT
que j'aie		avoir	ayant
que tu aies			
qu'il ait	aie	PASSÉ	PASSÉ
que nous ayons	ayons		
que vous ayez	ayez	avoir eu	eu(es)
qu'ils aient			

AMENER – à la voix active

INDICATIF

PRÉSENT	IMPARFAIT	PASSÉ SIMPLE	FUTUR SIMPLE	CONDITIONNEL SIMPLE
j'amène	j'amenais	j'amenai	j'amènerai	j'amènerais
tu amènes	tu amenais	tu amenas	tu amèneras	tu amènerais
il amène	il amenait	il amena	il amènera	il amènerait
nous amenons	nous amenions	nous amenâmes	nous amènerons	nous amènerions
vous amenez	vous ameniez	vous amenâtes	vous amènerez	vous amèneriez
ils amènent	ils amenaient	ils amenèrent	ils amèneront	ils amèneraient

PASSÉ COMPOSÉ	PLUS-QUE-PARFAIT	PASSÉ ANTÉRIEUR	FUTUR ANTÉRIEUR	CONDITIONNEL COMPOSÉ
j'ai amené	j'avais amené	j'eus amené	j'aurai amené	j'aurais amené
tu as amené	tu avais amené	tu eus amené	tu auras amené	tu aurais amené
il a amené	il avait amené	il eut amené	il aura amené	il aurait amené
nous avons amené	nous avions amené	nous eûmes amené	nous aurons amené	nous aurions amené
vous avez amené	vous aviez amené	vous eûtes amené	vous aurez amené	vous auriez amené
ils ont amené	ils avaient amené	ils eurent amené	ils auront amené	ils auraient amené

SUBJONCTIF	IMPÉRATIF	INFINITIF	PARTICIPE
PRÉSENT	PRÉSENT	PRÉSENT	PRÉSENT
que j'amène		amener	amenant
que tu amènes	amène		
qu'il amène	amenons	PASSÉ	PASSÉ
que nous amenions	amenez		
que vous ameniez		avoir amené	amené(es)
qu'ils amènent			

AMENER – à la voix passive

INDICATIF

PRÉSENT	IMPARFAIT	PASSÉ SIMPLE	FUTUR SIMPLE	CONDITIONNEL SIMPLE
je suis amené(e)	j'étais amené(e)	je fus amené(e)	je serai amené(e)	je serais amené(e)
tu es amené(e)	tu étais amené(e)	tu fus amené(e)	tu seras amené(e)	tu serais amené(e)
il est amené	il était amené	il fut amené	il sera amené	il serait amené
nous sommes amené(e)s	nous étions amené(e)s	nous fûmes amené(e)s	nous serons amené(e)s	nous serions amené(e)s
vous êtes amené(e)s	vous étiez amené(e)s	vous fûtes amené(e)s	vous serez amené(e)s	vous seriez amené(e)s
ils sont amenés	ils étaient amenés	ils furent amenés	ils seront amenés	ils seraient amenés

PASSÉ COMPOSÉ	PLUS-QUE-PARFAIT	PASSÉ ANTÉRIEUR	FUTUR ANTÉRIEUR	CONDITIONNEL COMPOSÉ
j'ai été amené(e)	j'avais été amené(e)	j'eus été amené(e)	j'aurai été amené(e)	j'aurais été amené(e)
tu as été amené(e)	tu avais été amené(e)	tu eus été amené(e)	tu auras été amené(e)	tu aurais été amené(e)
il a été amené	il avait été amené	il eut été amené	il aura été amené	il aurait été amené
nous avons été amené(e)s	nous avions été amené(e)s	nous eûmes été amené(e)s	nous aurons été amené(e)s	nous aurions été amené(e)s
vous avez été amené(e)s	vous aviez été amené(e)s	vous eûtes été amené(e)s	vous aurez été amené(e)s	vous auriez été amené(e)s
ils ont été amenés	ils avaient été amenés	ils eurent été amenés	ils auront été amenés	ils auraient été amenés

SUBJONCTIF	IMPÉRATIF	INFINITIF	PARTICIPE
PRÉSENT	PRÉSENT	PRÉSENT	PRÉSENT
que je sois amené(e)		être amené	étant amené(es)
que tu sois amené(e)	sois amené(e)		
qu'il soit amené	soyons amené(e)s	PASSÉ	PASSÉ
que nous soyons amené(e)s	soyez amené(e)s		
que vous soyez amené(e)s		avoir été amené	été amené(es)
qu'ils soient amenés			

PLACER

INDICATIF

PRÉSENT	IMPARFAIT	PASSÉ SIMPLE	FUTUR SIMPLE	CONDITIONNEL SIMPLE
je place	je plaçais	je plaçai	je placerai	je placerais
tu places	tu plaçais	tu plaças	tu placeras	tu placerais
il place	il plaçait	il plaça	il placera	il placerait
nous plaçons	nous placions	nous plaçâmes	nous placerons	nous placerions
vous placez	vous placiez	vous plaçâtes	vous placerez	vous placeriez
ils placent	ils plaçaient	ils placèrent	ils placeront	ils placeraient

PASSÉ COMPOSÉ	PLUS-QUE-PARFAIT	PASSÉ ANTÉRIEUR	FUTUR ANTÉRIEUR	CONDITIONNEL COMPOSÉ
j'ai placé	j'avais placé	j'eus placé	j'aurai placé	j'aurais placé
tu as placé	tu avais placé	tu eus placé	tu auras placé	tu aurais placé
il a placé	il avait placé	il eut placé	il aura placé	il aurait placé
nous avons placé	nous avions placé	nous eûmes placé	nous aurons placé	nous aurions placé
vous avez placé	vous aviez placé	vous eûtes placé	vous aurez placé	vous auriez placé
ils ont placé	ils avaient placé	ils eurent placé	ils auront placé	ils auraient placé

SUBJONCTIF / IMPÉRATIF / INFINITIF / PARTICIPE

SUBJONCTIF PRÉSENT	IMPÉRATIF PRÉSENT	INFINITIF PRÉSENT	PARTICIPE PRÉSENT
que je place		placer	plaçant
que tu places	place		
qu'il place	plaçons	**PASSÉ**	**PASSÉ**
que nous placions	placez		
que vous placiez		avoir placé	placé(es)
qu'ils placent			

APPELER

INDICATIF

PRÉSENT	IMPARFAIT	PASSÉ SIMPLE	FUTUR SIMPLE	CONDITIONNEL SIMPLE
je appelle	je appelais	je appelai	je appellerai	je appellerais
tu appelles	tu appelais	tu appelas	tu appelleras	tu appellerais
il appelle	il appelait	il appela	il appellera	il appellerait
nous appelons	nous appelions	nous appelâmes	nous appellerons	nous appellerions
vous appelez	vous appeliez	vous appelâtes	vous appellerez	vous appelleriez
ils appellent	ils appelaient	ils appelèrent	ils appelleront	ils appelleraient

PASSÉ COMPOSÉ	PLUS-QUE-PARFAIT	PASSÉ ANTÉRIEUR	FUTUR ANTÉRIEUR	CONDITIONNEL COMPOSÉ
j'ai appelé	j'avais appelé	j'eus appelé	j'aurai appelé	j'aurais appelé
tu as appelé	tu avais appelé	tu eus appelé	tu auras appelé	tu aurais appelé
il a appelé	il avait appelé	il eut appelé	il aura appelé	il aurait appelé
nous avons appelé	nous avions appelé	nous eûmes appelé	nous aurons appelé	nous aurions appelé
vous avez appelé	vous aviez appelé	vous eûtes appelé	vous aurez appelé	vous auriez appelé
ils ont appelé	ils avaient appelé	ils eurent appelé	ils auront appelé	ils auraient appelé

SUBJONCTIF / IMPÉRATIF / INFINITIF / PARTICIPE

SUBJONCTIF PRÉSENT	IMPÉRATIF PRÉSENT	INFINITIF PRÉSENT	PARTICIPE PRÉSENT
que j'appelle		appeler	appelant
que tu appelles	appelle		
qu'il appelle	appelons	**PASSÉ**	**PASSÉ**
que nous appelions	appelez		
que vous appeliez		avoir appelé	appelé(es)
qu'ils appellent			

PAYER[1]

INDICATIF				
PRÉSENT	IMPARFAIT	PASSÉ SIMPLE	FUTUR SIMPLE	CONDITIONNEL SIMPLE
je paie/paye	je payais	je payai	je paierai/payerai	je paierais/payerais
tu paies/payes	tu payais	tu payas	tu paieras/payeras	tu paierais/payerais
il paie/paye	il payait	il paya	il paiera/payera	il paierait/payerait
nous payons	nous payions	nous payâmes	nous paierons/payerons	nous paierions/payerions
vous payez	vous payiez	vous payâtes	vous paierez/payerez	vous paieriez/payeriez
ils paient/payent	ils payaient	ils payèrent	ils paieront/payeront	ils paieraient/payeraient
PASSÉ COMPOSÉ	PLUS-QUE-PARFAIT	PASSÉ ANTÉRIEUR	FUTUR ANTÉRIEUR	CONDITIONNEL COMPOSÉ
j'ai payé	j'avais payé	j'eus payé	j'aurai payé	j'aurais payé
tu as payé	tu avais payé	tu eus payé	tu auras payé	tu aurais payé
il a payé	il avait payé	il eut payé	il aura payé	il aurait payé
nous avons payé	nous avions payé	nous eûmes payé	nous aurons payé	nous aurions payé
vous avez payé	vous aviez payé	vous eûtes payé	vous aurez payé	vous auriez payé
ils ont payé	ils avaient payé	ils eurent payé	ils auront payé	ils auraient payé

SUBJONCTIF	IMPÉRATIF	INFINITIF	PARTICIPE
PRÉSENT	PRÉSENT	PRÉSENT	PRÉSENT
que je paie/paye		payer	payant
que tu paies/payes	paie/paye		
qu'il paie/paye	payons	PASSÉ	PASSÉ
que nous payions	payez		
que vous payiez		avoir payé	payé(es)
qu'ils paient/payent			

1. Seuls les verbes en *-ayer* ont deux formes à certaines personnes.

GRANDIR

INDICATIF				
PRÉSENT	IMPARFAIT	PASSÉ SIMPLE	FUTUR SIMPLE	CONDITIONNEL SIMPLE
je grandis	je grandissais	je grandis	je grandirai	je grandirais
tu grandis	tu grandissais	tu grandis	tu grandiras	tu grandirais
il grandit	il grandissait	il grandit	il grandira	il grandirait
nous grandissons	nous grandissions	nous grandîmes	nous grandirons	nous grandirions
vous grandissez	vous grandissiez	vous grandîtes	vous grandirez	vous grandiriez
ils grandissent	ils grandissaient	ils grandirent	ils grandiront	ils grandiraient
PASSÉ COMPOSÉ	PLUS-QUE-PARFAIT	PASSÉ ANTÉRIEUR	FUTUR ANTÉRIEUR	CONDITIONNEL COMPOSÉ
j'ai grandi	j'avais grandi	j'eus grandi	j'aurai grandi	j'aurais grandi
tu as grandi	tu avais grandi	tu eus grandi	tu auras grandi	tu aurais grandi
il a grandi	il avait grandi	il eut grandi	il aura grandi	il aurait grandi
nous avons grandi	nous avions grandi	nous eûmes grandi	nous aurons grandi	nous aurions grandi
vous avez grandi	vous aviez grandi	vous eûtes grandi	vous aurez grandi	vous auriez grandi
ils ont grandi	ils avaient grandi	ils eurent grandi	ils auront grandi	ils auraient grandi

SUBJONCTIF	IMPÉRATIF	INFINITIF	PARTICIPE
PRÉSENT	PRÉSENT	PRÉSENT	PRÉSENT
que je grandisse		grandir	grandissant
que tu grandisses	grandis		
qu'il grandisse	grandissons	PASSÉ	PASSÉ
que nous grandissions	grandissez		
que vous grandissiez		avoir grandi	grandi(es)
qu'ils grandissent			

PRENDRE

INDICATIF				
PRÉSENT	IMPARFAIT	PASSÉ SIMPLE	FUTUR SIMPLE	CONDITIONNEL SIMPLE
je prends	je prenais	je pris	je prendrai	je prendrais
tu prends	tu prenais	tu pris	tu prendras	tu prendrais
il prend	il prenait	il prit	il prendra	il prendrait
nous prenons	nous prenions	nous prîmes	nous prendrons	nous prendrions
vous prenez	vous preniez	vous prîtes	vous prendrez	vous prendriez
ils prennent	ils prenaient	ils prirent	ils prendront	ils prendraient
PASSÉ COMPOSÉ	PLUS-QUE-PARFAIT	PASSÉ ANTÉRIEUR	FUTUR ANTÉRIEUR	CONDITIONNEL COMPOSÉ
j'ai pris	j'avais pris	j'eus pris	j'aurai pris	j'aurais pris
tu as pris	tu avais pris	tu eus pris	tu auras pris	tu aurais pris
il a pris	il avait pris	il eut pris	il aura pris	il aurait pris
nous avons pris	nous avions pris	nous eûmes pris	nous aurons pris	nous aurions pris
vous avez pris	vous aviez pris	vous eûtes pris	vous aurez pris	vous auriez pris
ils ont pris	ils avaient pris	ils eurent pris	ils auront pris	ils auraient pris

SUBJONCTIF	IMPÉRATIF	INFINITIF	PARTICIPE
PRÉSENT	PRÉSENT	PRÉSENT	PRÉSENT
que je prenne		prendre	prenant
que tu prennes	prends		
qu'il prenne	prenons	PASSÉ	PASSÉ
que nous prenions	prenez		
que vous preniez		avoir pris	pris(es)
qu'ils prennent			

PEINDRE

INDICATIF				
PRÉSENT	IMPARFAIT	PASSÉ SIMPLE	FUTUR SIMPLE	CONDITIONNEL SIMPLE
je peins	je peignais	je peignis	je peindrai	je peindrais
tu peins	tu peignais	tu peignis	tu peindras	tu peindrais
il peint	il peignait	il peignit	il peindra	il peindrait
nous peignons	nous peignions	nous peignîmes	nous peindrons	nous peindrions
vous peignez	vous peigniez	vous peignîtes	vous peindrez	vous peindriez
ils peignent	ils peignaient	ils peignirent	ils peindront	ils peindraient
PASSÉ COMPOSÉ	PLUS-QUE-PARFAIT	PASSÉ ANTÉRIEUR	FUTUR ANTÉRIEUR	CONDITIONNEL COMPOSÉ
j'ai peint	j'avais peint	j'eus peint	j'aurai peint	j'aurais peint
tu as peint	tu avais peint	tu eus peint	tu auras peint	tu aurais peint
il a peint	il avait peint	il eut peint	il aura peint	il aurait peint
nous avons peint	nous avions peint	nous eûmes peint	nous aurons peint	nous aurions peint
vous avez peint	vous aviez peint	vous eûtes peint	vous aurez peint	vous auriez peint
ils ont peint	ils avaient peint	ils eurent peint	ils auront peint	ils auraient peint

SUBJONCTIF	IMPÉRATIF	INFINITIF	PARTICIPE
PRÉSENT	PRÉSENT	PRÉSENT	PRÉSENT
que je peigne		peindre	peignant
que tu peignes	peins		
qu'il peigne	peignons	PASSÉ	PASSÉ
que nous peignions	peignez		
que vous peigniez		avoir peint	peint(es)
qu'ils peignent			

ALLER

INDICATIF				
PRÉSENT	IMPARFAIT	PASSÉ SIMPLE	FUTUR SIMPLE	CONDITIONNEL SIMPLE
je vais	j'allais	j'allai	j'irai	j'irais
tu vas	tu allais	tu allas	tu iras	tu irais
il va	il allait	il alla	il ira	il irait
nous allons	nous allions	nous allâmes	nous irons	nous irions
vous allez	vous alliez	vous allâtes	vous irez	vous iriez
ils vont	ils allaient	ils allèrent	ils iront	ils iraient
PASSÉ COMPOSÉ	PLUS-QUE-PARFAIT	PASSÉ ANTÉRIEUR	FUTUR ANTÉRIEUR	CONDITIONNEL COMPOSÉ
je suis allé(e)	j'étais allé(e)	je fus allé(e)	je serai allé(e)	je serais allé(e)
tu es allé(e)	tu étais allé(e)	tu fus allé(e)	tu seras allé(e)	tu serais allé(e)
il est allé	il était allé	il fut allé	il sera allé	il serait allé
nous sommes allé(e)s	nous étions allé(e)s	nous fûmes allé(e)s	nous serons allé(e)s	nous serions allé(e)s
vous êtes allé(e)s	vous étiez allé(e)s	vous fûtes allé(e)s	vous serez allé(e)s	vous seriez allé(e)s
ils sont allés	ils étaient allés	ils furent allés	ils seront allé(e)s	ils seraient allés

SUBJONCTIF	IMPÉRATIF	INFINITIF	PARTICIPE
PRÉSENT	PRÉSENT	PRÉSENT	PRÉSENT
que j'aille		aller	allant
que tu ailles	va		
qu'il aille	allons		
que nous allions	allez	PASSÉ	PASSÉ
que vous alliez			
qu'ils aillent		être allé(es)	allé(es)

PARTIR

INDICATIF				
PRÉSENT	IMPARFAIT	PASSÉ SIMPLE	FUTUR SIMPLE	CONDITIONNEL SIMPLE
je pars	je partais	je partis	je partirai	je partirais
tu pars	tu partais	tu partis	tu partiras	tu partirais
il part	il partait	il partit	il partira	il partirait
nous partons	nous partions	nous partîmes	nous partirons	nous partirions
vous partez	vous partiez	vous partîtes	vous partirez	vous partiriez
ils partent	ils partaient	ils partirent	ils partiront	ils partiraient
PASSÉ COMPOSÉ	PLUS-QUE-PARFAIT	PASSÉ ANTÉRIEUR	FUTUR ANTÉRIEUR	CONDITIONNEL COMPOSÉ
je suis parti(e)	j'étais parti(e)	je fus parti(e)	je serai parti(e)	je serais parti(e)
tu es parti(e)	tu étais parti(e)	tu fus parti(e)	tu seras parti(e)	tu serais parti(e)
il est parti	il était parti	il fut parti	il sera parti	il serait parti
nous sommes parti(e)s	nous étions parti(e)s	nous fûmes parti(e)s	nous serons parti(e)s	nous serions parti(e)s
vous êtes parti(e)s	vous étiez parti(e)s	vous fûtes parti(e)s	vous serez parti(e)s	vous seriez parti(e)s
ils sont partis	ils étaient partis	ils furent partis	ils seront partis	ils seraient partis

SUBJONCTIF	IMPÉRATIF	INFINITIF	PARTICIPE
PRÉSENT	PRÉSENT	PRÉSENT	PRÉSENT
que je parte		partir	partant
que tu partes	pars		
qu'il parte	partons		
que nous partions	partez	PASSÉ	PASSÉ
que vous partiez			
qu'ils partent		être parti(es)	parti(es)

FAIRE

INDICATIF				
PRÉSENT	IMPARFAIT	PASSÉ SIMPLE	FUTUR SIMPLE	CONDITIONNEL SIMPLE
je fais	je faisais	je fis	je ferai	je ferais
tu fais	tu faisais	tu fis	tu feras	tu ferais
il fait	il faisait	il fit	il fera	il ferait
nous faisons	nous faisions	nous fîmes	nous ferons	nous ferions
vous faites	vous faisiez	vous fîtes	vous ferez	vous feriez
ils font	ils faisaient	ils firent	ils feront	ils feraient
PASSÉ COMPOSÉ	PLUS-QUE-PARFAIT	PASSÉ ANTÉRIEUR	FUTUR ANTÉRIEUR	CONDITIONNEL COMPOSÉ
j'ai fait	j'avais fait	j'eus fait	j'aurai fait	j'aurais fait
tu as fait	tu avais fait	tu eus fait	tu auras fait	tu aurais fait
il a fait	il avait fait	il eut fait	il aura fait	il aurait fait
nous avons fait	nous avions fait	nous eûmes fait	nous aurons fait	nous aurions fait
vous avez fait	vous aviez fait	vous eûtes fait	vous aurez fait	vous auriez fait
ils ont fait	ils avaient fait	ils eurent fait	ils auront fait	ils auraient fait

SUBJONCTIF	IMPÉRATIF	INFINITIF	PARTICIPE
PRÉSENT	PRÉSENT	PRÉSENT	PRÉSENT
que je fasse		faire	faisant
que tu fasses	fais		
qu'il fasse	faisons	PASSÉ	PASSÉ
que nous fassions	faites		
que vous fassiez		avoir fait	fait(es)
qu'ils fassent			

VENIR

INDICATIF				
PRÉSENT	IMPARFAIT	PASSÉ SIMPLE	FUTUR SIMPLE	CONDITIONNEL SIMPLE
je viens	je venais	je vins	je viendrai	je viendrais
tu viens	tu venais	tu vins	tu viendras	tu viendrais
il vient	il venait	il vint	il viendra	il viendrait
nous venons	nous venions	nous vînmes	nous viendrons	nous viendrions
vous venez	vous veniez	vous vîntes	vous viendrez	vous viendriez
ils viennent	ils venaient	ils vinrent	ils viendront	ils viendraient
PASSÉ COMPOSÉ	PLUS-QUE-PARFAIT	PASSÉ ANTÉRIEUR	FUTUR ANTÉRIEUR	CONDITIONNEL COMPOSÉ
je suis venu(e)	j'étais venu(e)	je fus venu(e)	je serai venu(e)	je serais venu(e)
tu es venu(e)	tu étais venu(e)	tu fus venu(e)	tu seras venu(e)	tu serais venu(e)
il est venu	il était venu	il fut venu	il sera venu	il serait venu
nous sommes venu(e)s	nous étions venu(e)s	nous fûmes venu(e)s	nous serons venu(e)s	nous serions venu(e)s
vous êtes venu(e)s	vous étiez venu(e)s	vous fûtes venu(e)s	vous serez venu(e)s	vous seriez venu(e)s
ils sont venus	ils étaient venus	ils furent venus	ils seront venus	ils seraient venus

SUBJONCTIF	IMPÉRATIF	INFINITIF	PARTICIPE
PRÉSENT	PRÉSENT	PRÉSENT	PRÉSENT
que je vienne		venir	venant
que tu viennes	viens		
qu'il vienne	venons	PASSÉ	PASSÉ
que nous venions	venez		
que vous veniez		être venu(e)s	venu(es)
qu'ils viennent			

DIRE

INDICATIF

PRÉSENT	IMPARFAIT	PASSÉ SIMPLE	FUTUR SIMPLE	CONDITIONNEL SIMPLE
je dis	je disais	je dis	je dirai	je dirais
tu dis	tu disais	tu dis	tu diras	tu dirais
il dit	il disait	il dit	il dira	il dirait
nous disons	nous disions	nous dîmes	nous dirons	nous dirions
vous dites	vous disiez	vous dîtes	vous direz	vous diriez
ils disent	ils disaient	ils dirent	ils diront	ils diraient

PASSÉ COMPOSÉ	PLUS-QUE-PARFAIT	PASSÉ ANTÉRIEUR	FUTUR ANTÉRIEUR	CONDITIONNEL COMPOSÉ
j'ai dit	j'avais dit	j'eus dit	j'aurai dit	j'aurais dit
tu as dit	tu avais dit	tu eus dit	tu auras dit	tu aurais dit
il a dit	il avait dit	il eut dit	il aura dit	il aurait dit
nous avons dit	nous avions dit	nous eûmes dit	nous aurons dit	nous aurions dit
vous avez dit	vous aviez dit	vous eûtes dit	vous aurez dit	vous auriez dit
ils ont dit	ils avaient dit	ils eurent dit	ils auront dit	ils auraient dit

SUBJONCTIF	IMPÉRATIF	INFINITIF	PARTICIPE
PRÉSENT	PRÉSENT	PRÉSENT	PRÉSENT
que je dise	dis	dire	disant
que tu dises	disons		
qu'il dise	dites		
que nous disions		PASSÉ	PASSÉ
que vous disiez		avoir dit	dit(es)
qu'ils disent			

S'ASSEOIR

INDICATIF

PRÉSENT	IMPARFAIT	PASSÉ SIMPLE	FUTUR SIMPLE	CONDITIONNEL SIMPLE
je m'assieds/assois	je m'asseyais/assoyais	je m'assis	je m'assiérai/assoirai	je m'assiérais/assoirais
tu t'assieds/assois	tu t'asseyais/assoyais	tu t'assis	tu t'assiéras/assoiras	tu t'assiérais/assoierais
il s'assied/assoit	il s'asseyait/assoyait	il s'assit	il s'assiéra/assoira	il s'assiérait/assoirait
nous nous asseyons/assoyons	nous nous asseyions/assoyions	nous nous assîmes	nous nous assiérons/assoirons	nous nous assiérions/assoirions
vous vous asseyez/assoyez	vous vous asseyiez/assoyiez	vous vous assîtes	vous vous assiérez/assoirez	vous vous assiériez/assoiriez
ils s'asseyent/assoient	ils s'asseyaient/assoyaient	ils s'assirent	ils s'assiéront/assoiront	ils s'assiéraient/assoiraient

PASSÉ COMPOSÉ	PLUS-QUE-PARFAIT	PASSÉ ANTÉRIEUR	FUTUR ANTÉRIEUR	CONDITIONNEL COMPOSÉ
je me suis assis(e)	je m'étais assis(e)	je me fus assis(e)	je me serai assis(e)	je me serais assis(e)
tu t'es assis(e)	tu t'étais assis(e)	tu te fus assis(e)	tu te seras assis(e)	tu te serais assis(e)
il s'est assis	il s'était assis	il se fut assis	il se sera assis	il se serait assis
nous nous sommes assis(es)	nous nous étions assis(es)	nous nous fûmes assis(es)	nous nous serons assis(es)	nous nous serions assis(es)
vous vous êtes assis(es)	vous vous étiez assis(es)	vous vous fûtes assis(es)	vous vous serez assis(es)	vous vous seriez assis(es)
ils se sont assis	ils s'étaient assis	ils se furent assis	ils se seront assis	ils se seraient assis

SUBJONCTIF	IMPÉRATIF	INFINITIF	PARTICIPE
PRÉSENT	PRÉSENT	PRÉSENT	PRÉSENT
que je m'asseye/assoie	assieds/assois-toi	s'asseoir	s'asseyant
que tu t'asseyes/assoies	asseyons/assoyons-nous		
qu'il s'asseye/assoie	asseyez/assoyez-vous		
que nous nous asseyions/assoyions		PASSÉ	PASSÉ
que vous vous asseyiez/assoyiez		s'être assis(es)	assis(es)
qu'ils s'asseyent/assoient			

RECEVOIR

INDICATIF				
PRÉSENT	**IMPARFAIT**	**PASSÉ SIMPLE**	**FUTUR SIMPLE**	**CONDITIONNEL SIMPLE**
je reçois	je recevais	je reçus	je recevrai	je recevrais
tu reçois	tu recevais	tu reçus	tu recevras	tu recevrais
il reçoit	il recevait	il reçut	il recevra	il recevrait
nous recevons	nous recevions	nous reçûmes	nous recevrons	nous recevrions
vous recevez	vous receviez	vous reçûtes	vous recevrez	vous recevriez
ils reçoivent	ils recevaient	ils reçurent	ils recevront	ils recevraient
PASSÉ COMPOSÉ	**PLUS-QUE-PARFAIT**	**PASSÉ ANTÉRIEUR**	**FUTUR ANTÉRIEUR**	**CONDITIONNEL COMPOSÉ**
j'ai reçu	j'avais reçu	j'eus reçu	j'aurai reçu	j'aurais reçu
tu as reçu	tu avais reçu	tu eus reçu	tu auras reçu	tu aurais reçu
il a reçu	il avait reçu	il eut reçu	il aura reçu	il aurait reçu
nous avons reçu	nous avions reçu	nous eûmes reçu	nous aurons reçu	nous aurions reçu
vous avez reçu	vous aviez reçu	vous eûtes reçu	vous aurez reçu	vous auriez reçu
ils ont reçu	ils avaient reçu	ils eurent reçu	ils auront reçu	ils auraient reçu

SUBJONCTIF	IMPÉRATIF	INFINITIF	PARTICIPE
PRÉSENT	**PRÉSENT**	**PRÉSENT**	**PRÉSENT**
que je reçoive		recevoir	recevant
que tu reçoives	reçois		
qu'il reçoive	recevons		
que nous recevions	recevez	**PASSÉ**	**PASSÉ**
que vous receviez		avoir reçu	reçu(es)
qu'ils reçoivent			

VOULOIR

INDICATIF				
PRÉSENT	**IMPARFAIT**	**PASSÉ SIMPLE**	**FUTUR SIMPLE**	**CONDITIONNEL SIMPLE**
je veux	je voulais	je voulus	je voudrai	je voudrais
tu veux	tu voulais	tu voulus	tu voudras	tu voudrais
il veut	il voulait	il voulut	il voudra	il voudrait
nous voulons	nous voulions	nous voulûmes	nous voudrons	nous voudrions
vous voulez	vous vouliez	vous voulûtes	vous voudrez	vous voudriez
ils veulent	ils voulaient	ils voulurent	ils voudront	ils voudraient
PASSÉ COMPOSÉ	**PLUS-QUE-PARFAIT**	**PASSÉ ANTÉRIEUR**	**FUTUR ANTÉRIEUR**	**CONDITIONNEL COMPOSÉ**
j'ai voulu	j'avais voulu	j'eus voulu	j'aurai voulu	j'aurais voulu
tu as voulu	tu avais voulu	tu eus voulu	tu auras voulu	tu aurais voulu
il a voulu	il avait voulu	il eut voulu	il aura voulu	il aurait voulu
nous avons voulu	nous avions voulu	nous eûmes voulu	nous aurons voulu	nous aurions voulu
vous avez voulu	vous aviez voulu	vous eûtes voulu	vous aurez voulu	vous auriez voulu
ils ont voulu	ils avaient voulu	ils eurent voulu	ils auront voulu	ils auraient voulu

SUBJONCTIF	IMPÉRATIF	INFINITIF	PARTICIPE
PRÉSENT	**PRÉSENT**	**PRÉSENT**	**PRÉSENT**
que je veuille		vouloir	voulant
que tu veuilles	veux/veuille		
qu'il veuille	voulons/veuillons		
que nous voulions	voulez/veuillez	**PASSÉ**	**PASSÉ**
que vous vouliez		avoir voulu	voulu(es)
qu'ils veuillent			

Achevé d'imprimer en Espagne par Macrolibros à Valladolid en Espagne - Dépôt légal n° 95483-2/04 - juin 2015